新完全マスター語彙

日本語能力試験

語彙 N2

伊能裕晃・本田ゆかり・来栖里美・前坊香菜子・阿保きみ枝・宮田公治 著

スリーエーネットワーク

Published by 3A Corporation.
Trusty Kojimachi Bldg., 2F, 4, Kojimachi 3-Chome, Chiyoda-ku, Tokyo 102-0083, Japan

ISBN978-4-88319-574-9 C0081

First published 2011
Printed in Japan

はじめに

　日本語能力試験は、1984年に始まった、日本語を母語としない人の日本語能力を測定し認定する試験です。受験者が年々増加し、現在では世界でも大規模の外国語の試験の一つとなっています。試験開始から20年以上経過する間に、学習者が多様化し、日本語学習の目的も変化してきました。そのため、2010年に新しい「日本語能力試験」として内容が大きく変わりました。新しい試験では知識だけでなく、実際に運用できる日本語能力が問われます。

　本書はこの試験のN2レベルの問題集として作成されたものです。

　新しい「日本語能力試験」では、語彙に関して、まず、以下の3点が、今までの試験と大きく変わりました。

　①試験の出題範囲となる語（N5〜N1）が約10,000語から約15,000語に増えた。

　②どの語が試験に出題されるかを示す語彙リストがすべて非公開となった。

　③日本語を学ぶ人が、どのような状況（目標言語使用領域）で、何のために（課題）、
　　日本語を使うかという観点から、試験に出題される語彙の選び直しが行われた。

　そして、このような試験の変化に対応できるよう、本書は以下のような特徴を備えた本になっています。

■本書の特徴

　①新しい「日本語能力試験」で語彙を選ぶ際に使われた資料と同じNTTデータベース
　　シリーズ『日本語の語彙特性』（三省堂）等、複数の資料を用い、語彙（全2,283
　　語）の選出を行った。

　②日本語を学ぶ人がどのような状況で、何のために日本語を使うかを想定し、話題
　　別に言葉を学ぶ章を設けた。（本書第1部）

　③過去20年分の問題や新しい試験のサンプルなどを分析して、「類義語」「オノマ
　　トペ」「語形成」など、さまざまな性質別に言葉を学ぶ章を設けた。（本書第2部）

　④例文や問題の作成にあたり、インターネット上の大規模言語データベース＝コー
　　パス(Sketch Engine)等を用い、自然で有用性の高い日本語の文を示すようにした。

　⑤試験に向けた実践的な練習ができるよう、本書の最後に模擬試験を2回分付した。

　本書は今までにない特徴を備えた問題集になっていると確信しています。ぜひ手に取って、日本語の語彙力を磨くために使っていただければ、と思います。

著者

目次 もく じ

第2部　性質別に言葉を学ぼう

模擬試験

索引

別冊　解答

本書をお使いになる方へ

■本書の目的

本書は以下の2点を大きな目的としています。

①日本語能力試験N2対策：N2の試験に合格できる力を付ける。

②語彙力の向上：試験対策にとどまらない全般的な語彙の力を付ける。

■日本語能力試験N2語彙問題とは

日本語能力試験N2は、「言語知識・読解」（試験時間105分）と「聴解」（試験時間50分)の二つに分かれており、語彙問題は「言語知識・読解」の一部です。

N2の語彙問題は更に以下の四つの部分に分かれます。

1	文脈規定	前後の文脈から空所に入る語を選ぶ問題
2	言い換え類義	出題された語と意味的に近い語を選ぶ問題
3	用法	複数の文の中から語が正しく使われている文を選ぶ問題
4	語形成	空所に接頭辞や接尾辞などを入れ、派生語や複合語を作る問題

■本書の構成

本書は、以下のような構成になっています。

実力養成編	第1部 話題別に言葉を学ぼう 9章 全21課
	第2部 性質別に言葉を学ぼう 7章 全16課
模擬試験	2回

索引　ふりがな付き、五十音順

別冊解答　一部、解説あり

以下に詳しく説明します。

第1部　話題別に言葉を学ぼう

N2レベルの日本語を学ぶ人がどのような状況で、日本語を使うかを考えて、話題が選んであります。各課の内容は以下の通りです。

I. 言葉と例文

1 ウォーミングアップ

質問に答えながら、自分の語彙力をチェックしてください。

あなたの現在の語彙力で質問にきちんと答えられますか。

2 言葉

話題に関係する語のリストです。

特にＮ２で学習すべき語は太字で書かれています。

3 語形成

2言葉に出てきた語の中で「語形成」に関係するものを整理しています。

特にＮ２で学習すべき語は太字で書かれています。

4 例文

2言葉、**3**語形成に出てきた語が使われている例文です。

例文を読んで、太字で示した副詞や副詞的表現の使い方も一緒に覚えてください。

II. 基本練習

1 導入練習

I. **言葉と例文**で学んだ語を（　　）に入れて、文章を完成させる問題です。

ある程度の長さの文章の中で学んだ語がどのように使われるかを覚えてください。

「導入練習」となっていますが、各課が終わった後に復習のために解いてもかまいません。

2 連語〜**5** 語形成

それぞれ「連語」「意味」「類義」「語形成」の各観点から語を学んでいきます。

2連語では、一緒によく使われる語を覚えてください。

III. 実践練習

試験と同じ形式の練習問題です。自分の語彙力を確認してください。

20点満点の小テストとしても使えます。

第2部　性質別に言葉を学ぼう

意味、品詞、形式など、語の性質別に語彙の勉強ができるようになっています。

各課の内容は以下の通りです。

I. 言葉と例文

1 ウォーミングアップ

その課の語を勉強するときに注意すべきポイントが質問の形で示してあります。

質問に答えながら、その課でこれから何を勉強するのか、考えてみてください。

2 言葉

性質別に分類された語のリストです。例文とともに語を覚えてください。

特にＮ２で学習すべき語は太字で書かれています。

II. 基本練習

「連語」「意味」「用法」の各観点で、さまざまな練習を行って、語を学んでいきます。

連語の問題では、一緒によく使われる語を覚えてください。

III. 実践練習

試験と同じ形式の練習問題です。学んだ語がどれだけ身に付いたか、確認してください。25点満点の小テストとしても使えます。

模擬試験

50点満点の模擬試験が2回分付いています。これまでの日本語能力試験の問題の分析から特に重要と考えられる語を問題として出しています。自分の今の実力を確認してください。

索引

本書で学習する語の語彙リストとしても使えるようになっています。本文での品詞や形に関係なく、その語の一番短い形(辞書に出ている形)で示しています。

例 　　本文　　　　　　　　　　　索引

勝手　　　　　(p.100)
　　　　　　　　　　　　　→　勝手
勝手な　　　　(p.107)

やかましくて　(p.107)　→　やかましい

ひらがなでふりがなが付いていますので、語を暗記する際にも活用できるでしょう。

別冊解答

特に難しいところには、解説(ふりがな付き)が付いています。読んで確認してください。

■記号

I. 言葉と例文の中で使用する記号です。

A―B　　　AとBが反義語であることを表す。

A・B　　　AとBが共通の意味、用法、性質を持つことを表す。(類義語など)

A／B　　　AとBが別の表現、意味、用法を持つことを表す。

　　　　　　例　くし／ブラシで髪をとく・とかす(p.22)

A→B　　　BがAに関連の深い語であることを表す。

〔　〕　　　〔　〕の中の言葉に当てはまるいろいろな語に入れ替えることができる。

[　]　　　一緒によく使われる語の例。

■表記

I. 言葉と例文にはすべてふりがなが付いています。I. 言葉と例文以外では、N2レベルの学習者にとって難しいと思われる漢字を含む語には、ふりがなを付けました。(常用漢字表[昭和56年内閣告示]で扱われていない語を含む。)

■学習時間

自分一人で勉強する場合

ウォーミングアップの後、言葉、語形成、例文などを辞書やインターネットで語を調べながら勉強してください。時間は特に決まっていませんが、語の意味や使い方を十分に確認してから、**基本練習**に進んでください。第1部の**基本練習**と**実践練習**は、それぞれ5分から10分、第2部の**基本練習**と**実践練習**は、それぞれ10分から15分でできるでしょう。問題を解くこと自体よりも、解答や解説を読んでしっかり知識を身に付けることが重要なので、問題を解いた後、十分に時間をかけて、確認していってください。

教室で勉強する場合

ウォーミングアップの後、言葉、語形成、例文などを確認していきます。第1部、第2部とも確認に30分から50分程度の時間が必要になります。時間がない場合には、言葉、語形成、例文などを、宿題として予習させることもできます。言葉、語形成、例文などがきちんと確認できていれば、**第1部の基本練習と実践練習**は20分から40分程度で、練習と答え合わせができるでしょう。**第2部の基本練習と実践練習**は30分から50分程度で、練習と答え合わせができるでしょう。通常であれば、2コマ(1コマあたり45分から50分)の授業で1課進むことができるはずです。予習を前提とすれば、1コマの授業で1課終えることもできるでしょう。

実力養成編 第1部 話題別に言葉を学ぼう

Ⅰ. 言葉と例文 ≫

1 ウォーミングアップ

(1) あなたの周りにはどんな人がいますか。

私

家族／親類	学校／会社	友人／知人
父　母		友達

2 言葉

1. 家族／親類

▶家族／親類
① 祖先—子孫
② 祖父母から孫まで三世代で生活する
③ 一家で出かける
④ 親類の集まりに出る

⑤ 親孝行をする
⑥ 実家が懐かしい
⑦ 私は ☐☐☐☐ です
　● 三人姉妹の末っ子
　● 一人っ子／双子

2. 友人／知人・知り合い

① 私たちは ☐☐☐☐ です
　● 仲良し
　● 仕事仲間
② 知人・知り合いが多い
③ 田中さんの ☐☐☐☐ です
　● 奥様—ご主人
　● お母様—お父様
　● お嬢ちゃん—(お)坊ちゃん

④ (田中)氏(ご)夫妻
⑤ (田中)夫人
⑥ 職場の ☐☐☐☐
　● 上司—部下
　● 先輩—後輩
⑦ ☐☐☐☐ の人
　● 目上—目下
　● 年上—年下／同い年

3. 付き合い

① 周囲の人々と ☐☐☐☐
　● 親しい付き合いをする
　● コミュニケーションを取る
② 約束を ☐☐☐☐
　● 守る—破る・取り消す

③ 丁寧な言葉遣いで話す
④ 初めて会った人と握手する
⑤ 生徒が先生にお辞儀をする

3 語形成

(1) **〜仲間** 仕事仲間 勉強仲間 飲み仲間

(2) **〜合い** 知り合い 付き合い 話し合い

(3) **取り〜** 取り消す 取り出す 取り替える

(4) **〜遣い** 言葉遣い 金遣い 気遣い

4 例文　副詞や副詞的表現と一緒に使った例文を見てみよう。

(1) 彼とは**長年**親しい付き合いをしてきた。

(2) **たとえ**親友でも、話したくないこともある。

(3) 十年振りにいとこに会ったが、**ちっとも**変わっていなかった。

(4) あの兄弟は、**まるで**双子のように顔が似ている。

II. 基本練習 ≫

1 導入練習

I. 言葉と例文の中から適当なものを（　　）に入れて、文を完成させなさい。始め、または終わりの何文字かはヒントとして示してあります。

> 先週、いとこの結婚式に行った。彼も僕も（①ひと　　　　　）なので、子供のころはとても
> （②　　　　　よし）で、まるで兄弟のように、よく一緒に遊んだ。でも、大人になってからは、
> あまり親しい（③　　　　あい）をしなくなってしまった。最近は、お正月の親類の（④あつ
> 　　　）のときに会うだけだったので、久しぶりに会うことができて、とても（⑤
> かし）かった。
> 　いとこの結婚する相手は、職場の（⑥こう　　　　　）の女性だそうで、とてもきれいな人だっ
> た。結婚式には、二人の（⑦しごと　　　　　）がたくさん出席していて、とてもにぎやかだっ
> た。きっと、二人はいい夫婦になると思う。

2 **連語** 語と語のつながりや使い方を覚えよう。

例のように適当な言葉を線で結びなさい。

(1) 約束を　　　　　　　　・　　　出る
　　集まりに　　　　　　　・　　　破る
　　コミュニケーションを・　　　話す
　　丁寧な言葉遣いで　　　・　　　取る

(2) 親孝行を　　　　　　　・　　　・懐かしい
　　子供のころが　・　　　　　　・お辞儀をする
　　先生に　　　　　・　　　　　　・する
　　有名な人と　　・　　　　　　・握手する

3 **意味** 基本的な意味を確認しよう。

　　　　の中から適当な言葉を選んで、（　　　）に入れなさい。

(1) ┌─────────────────┐
　　│ 祖先　　目上　　夫妻 │
　　└─────────────────┘

　　① 人類の（　　　　　　）は、アフリカで生まれたとも言われている。

　　② 社長ご（　　　　　　）は、結婚して二十年になるそうだ。

　　③ （　　　　　　）の人には丁寧に話しなさい。

(2) ┌─────────────────┐
　　│ たとえ　　長年　　まるで │
　　└─────────────────┘

　　① あの二人は（　　　　　　）姉妹のように仲がいい。

　　② （　　　　　　）親子でも、考え方が違うのは当然だ。

　　③ 私は（　　　　　　）英語を勉強してきましたが、全然話せません。

4 **類義** 似た意味の言葉はどれですか。

　　　　　の言葉に意味が近いほうを選びなさい。

(1) あの子が田中社長の坊ちゃんです。（　息子さん　　お嬢ちゃん　）

(2) 私たちは小学校のときから仲良しだ。（　知り合い　　友達　）

5 **語形成** 接辞や複合語を覚えよう。

正しいものに○を付けなさい。

(1) 優しい言葉をかけてくれる、彼の私に対する気（　利用　　遣い　　用い　）がうれしかった。

(2) この服を青いのと取り（　替えて　　戻して　　合って　）いただけませんか。

Ⅲ. 実践練習 ≫

1. （　）に入れるのに最もよいものを、1・2・3・4から一つ選びなさい。(2点×2)

1 彼女とは昔から（　）合いがあります。

　　1　知り　　　　　2　付き　　　　　3　釣り　　　　　4　話し

2 田中さんと山田さんは飲み（　）です。

　　1　知人　　　　　2　友人　　　　　3　仲間　　　　　4　味方

2. （　）に入れるのに最もよいものを、1・2・3・4から一つ選びなさい。(2点×2)

1 急に忙しくなってしまったので、病院の予約を（　）。

　　1　取った　　　　2　取り消した　　3　守った　　　　4　破った

2 妻は息子と一緒に（　）に帰っています。

　　1　大家　　　　　2　作家　　　　　3　実家　　　　　4　家主

3. 　　　の言葉に意味が最も近いものを、1・2・3・4から一つ選びなさい。(2点×2)

1 この子はうちの兄弟のすえっこで、家族にとても大切にされていた。

　　1　一番上の子　　2　一番下の子　　3　一人っ子　　　4　双子

2 父の仕事の都合で、一家で東京へ引っ越した。

　　1　一人　　　　　2　一家庭　　　　3　一家族　　　　4　家族全体

4. 次の言葉の使い方として最もよいものを、1・2・3・4から一つ選びなさい。(4点×2)

1 親しい

　　1　日本語と韓国語の文法は親しいと言われている。

　　2　彼はコンピューターに親しいから、何でも知っている。

　　3　私たち親子は、とても親しくて、よく一緒に旅行に行きます。

　　4　新しい家に引っ越したので、親しい人たちを招待してパーティーをした。

2 お辞儀

　　1　先生に、お辞儀に何かプレゼントしたいと思っている。

　　2　友達とけんかしたら、早くお辞儀をしたほうがいい。

　　3　道の向こうに知人を見つけたので、軽くお辞儀をした。

　　4　小林さんは会社からお辞儀をして、別の会社に行くそうです。

I 言葉と例文 ≫

1 ウォーミングアップ

(1) あなたの性格のいいところと悪いところを三つずつ教えてください。

2 言葉

---

1. 性格

① ◻︎◻︎◻︎人	▶長所	▶短所
▶対になる表現	● 頼もしい・頼りになる	● わがままな
● 積極的な—消極的な	● 礼儀正しい	● 強引な
● おとなしい—やかましい	● 冷静な	● 厚かましい・ずうずうしい
● 慎重な—そそっかしい	● 陽気な／ユーモアがある	● けちな
● きちんとした—だらしない	● はきはきした・はきはき話す	● 乱暴な・気が荒い
● 器用な—不器用な		● ひきょうな
● 要領がいい—悪い	● いつも にこにこしている・笑っている	● 人を平気で裏切る
● 謙虚な—生意気な		● いつも威張っている
● 勘が鋭い—鈍い	● 純粋な	● いつもふざけている
● 弱気な—強気な	● 穏やかな	● すぐに飽きる→飽きっぽい
		● すぐに慌てる
		▶どちらにもなる表現
		● のん気な・のんびりした
		● よくしゃれを言う
		● 率直な意見を言う

2. 心理

① 人間の心理は複雑だ
② 緊張してどきどきする
③ バスが来なくていらいらする
④ 気楽に考える
⑤ 機嫌がいい—悪い

3. 様子

① ◻︎◻︎◻︎人が好きだ—嫌いだ
　● 清潔な—不潔な
② 見かけが◻︎◻︎◻︎
　● 派手だ—地味だ

---

3 語形成

(1) 〜的　積極的　消極的　心理的

(2) 不〜　不器用　不真面目

(3) 〜正しい　礼儀正しい　規則正しい

(4) 〜っぽい　飽きっぽい　怒りっぽい　忘れっぽい

4 例文　副詞や副詞的表現と一緒に使った例文を見てみよう。

(1) 中田さんは、恥ずかしいとき、**わざと**乱暴な言葉遣いをする。

(2) 彼はとてもけちで、一緒にご飯を食べたときも**一切**お金を払わない。

(3) 昔は何でも強気だった父が、年を取って**めっきり**弱気になってしまった。

(4) 十年振りに会ったいとこは**相変わらず**おとなしくて、ほとんど話さなかった。

II．基本練習 ≫

1 導入練習

I．言葉と例文の中から適当なものを（　　　）に入れて、文を完成させなさい。始め、または終わりの何文字かはヒントとして示してあります。

　自分の性格について考えてみた。私は、周囲の人から、よく（①ユー　　　　　）があると言われる。よく（②しゃ　　　　）を言っているからだろう。

　でも、自分では（③しょう　　　　）なほうだと思っている。初めて会った人とは、あまり話せない。それに、（④しん　　　　）なところがあるので、新しいことを始めるのに時間が掛かる。その上、（⑤の　　　　）した性格なので、なかなか仕事が進まない。

　だから、ときどき（⑥よう　　　　）が悪いと言われてしまう。でも、（⑦　　　　きる）ことなく何でも続けられるので、私は、これは（⑧ちょう　　　　）だと思っている。

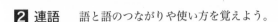

2 連語　　語と語のつながりや使い方を覚えよう。

例のように適当な言葉を線で結びなさい。

(1)　にこにこ・　　　　・荒い　　　　　　(2)　ユーモアが・　　　　・悪い

　　頼りに　・　　　・笑う　　　　　　　　　　要領が　　・　　　・話す

　　勘_{かん}が　　・　　　・なる　　　　　　　　　　はきはきと・　　　・ある

　　気が　　・　　　・鈍い　　　　　　　　　　友人を　　・　　　・裏切る

3 意味　　基本的な意味を確認しよう。

☐☐☐の中から適当な言葉を選んで、（　　　）に入れなさい。

(1)　| 心理　　長所　　見かけ |

　　①　子供の（　　　　　　）を見つけてほめることが大切だと思う。

　　②　この料理は（　　　　　　）は悪いが、味はとてもいい。

　　③　この映画は、人間の複雑な（　　　　　　）をうまく表している。

(2)　| 一切　　めっきり　　わざと |

　　①　その子は、おもちゃが欲しくて（　　　　　　）大きな声で泣いていた。

　　②　十月に入って（　　　　　）涼しくなりましたね。

　　③　祖母は英語が（　　　　　）話せないのに、一人でアメリカを旅行してきた。

4 類義　　似た意味の言葉はどれですか。

＿＿＿の言葉に意味が近いほうを選びなさい。

(1)　あの子は陽気な性格なので、友達が多い。（　明るい　さわやかな　）

(2)　私の祖父は、いつも穏_{おだ}やかに話す。（　にぎやか　静か　）

5 語形成　　接辞や複合語を覚えよう。

正しいものに○を付けなさい。

(1)　あの人は、機嫌_{きげん}が悪いと怒り（　向きに　っぽく　らしく　）なるから怖い。

(2)　あなたのように（　不　無　未　）真面目_{まじめ}な人は見たことがない。

Ⅲ. 実践練習 ≫

1. （　）に入れるのに最もよいものを、1・2・3・4から一つ選びなさい。(2点×2)

1 赤いものを見ると元気になるなど、色は人間に（　）的な影響を与えると言う。

　1　心理　　　　　2　性格　　　　　3　機嫌_{きげん}　　　　　4　見かけ

2 その子は、静かに礼儀_{れいぎ}（　）座っていた。

　1　正しく　　　　2　的に　　　　　3　よく　　　　　4　式に

2. （　）に入れるのに最もよいものを、1・2・3・4から一つ選びなさい。(2点×2)

1 私の部の部長は、部下に対して（　）ことのない優しい上司だ。

　1　あきる　　　　2　あわてる　　　3　いばる　　　　4　ふざける

2 テストの前日なのに、勉強しないで寝ているなんて（　）人だね。

　1　穏やかな_{おだ}　　　2　器用な　　　　3　素直な_{すなお}　　　4　のん気な

3. ＿＿＿の言葉に意味が最も近いものを、1・2・3・4から一つ選びなさい。(2点×2)

1 仲間を捨てて逃げるなんてひきょうだ。

　1　意地悪だ　　　2　怖い　　　　　3　ずるい　　　　4　弱い

2 今日は、外がやかましいですね。何かあるんですか。

　1　明るい　　　　2　うるさい　　　3　静か　　　　　4　人が多い

4. 次の言葉の使い方として最もよいものを、1・2・3・4から一つ選びなさい。(4点×2)

1 裏切る

　1　長年の友情を裏切るようなことをしてはいけない。

　2　天気予報を裏切って、昨日は大雨だった。

　3　知り合いを見かけたので、後ろから呼んだら裏切ってくれた。

　4　二人の意見はお互いに裏切っている。

2 頼もしい

　1　ちょっと頼もしいことがあるんですが、よろしいですか。

　2　この新聞は頼もしいから、うそは書かないだろう。

　3　毎日勉強してきたので、テストの結果が頼もしい。

　4　私には頼もしい味方がたくさんいるので安心だ。

I. 言葉と例文　≫

1 ウォーミングアップ

(1) 誰かとけんかしたことがありますか。どうしてけんかしましたか。

2 言葉

---

1. 感情

① 〔人〕を □□□□
- うらやむ
- 尊敬する・敬う
- 疑う
- 恐れる
- 憎む・恨む
- 嫌う・嫌がる

② 〔人〕に □□□□
- 敬意を持つ／払う
- あこがれる
- 恩を感じる
- 失望する

③ 〔人〕が □□□□
- うらやましい
- 憎い・憎らしい
- 哀れ・気の毒だ

④ □□□□ と思う。
- 申し訳ない／済まない
- ありがたい

---

2. 行動

① 〔人〕を □□□□
- 慰める
- けなす／ののしる
- にらむ
- 避ける

② 〔人〕に □□□□
- 助言する・忠告する
- 言いつける
- 皮肉を言う
- ぶつぶつ（と）不平を言う
- 自慢する

③ 子供を／に怒鳴る
④ 秘密を隠す
⑤ うわさを広める
⑥ 誤解を解く／が解ける
⑦ けんかした友達と仲直りする

---

3. 礼儀

① エチケット・作法を守る
② 正しい敬語を使う
③ 反抗的な態度を取る
④ 道徳を重視する
⑤ きちんとした姿勢で座る
⑥ みっともない服装で出かけない

---

4. 恋愛

① 女性／男性にもてる
② 私の理想のタイプだ
③ 町で偶然〔人〕を見かける
④ 愛が冷める
⑤ 恋人を振る
⑥ 失恋する

---

3 語形成

(1) 〜がる　**嫌がる**　寒がる　欲しがる

(2) **〜らしい**　**憎らしい**　かわいらしい

(3) **〜つける**　**言いつける**　**結びつける**

(4) **〜める**　**広める**　強める　高める

(5) **〜的**　**反抗的**　道徳的　理想的

4 例文　副詞や副詞的表現と一緒に使った例文を見てみよう。

(1) 彼女は**まさに**理想通りの女性だ。

(2) **思い切って**彼女に気持ちを伝えた。

(3) ずっと好きだった人と、**ようやく**付き合えることになった。

(4) 十年も付き合っているうちに、**いつの間にか**、気持ちが冷めてしまった。

Ⅱ．基本練習 ≫

1 導入練習

Ⅰ. 言葉と例文の中から適当なものを（　　　）に入れて、文を完成させなさい。始め、または終わりの何文字かはヒントとして示してあります。

> 　中学生のとき、親友のユウカとけんかしたことがある。ユウカがずっと（① 　　　　　　がれて）いた先輩と私が仲良くしていたら、付き合っていると（②ご　　　　　　）されてしまったからだ。それから、ユウカは私を（③　　　　　　ける）ようになり、私も彼女を（④　　　　　　らう）ようになってしまった。
>
> 　しばらくしてから、ユウカから電話が掛かってきた。先輩と私が楽しそうに話しているのを偶然（⑤　　　　　　かけて）、とても（⑥　　　　　　まし）かったのだと言っていた。彼女が何度も謝るのを聞いていたら、私の方が（⑦もうし　　　　　　）ような気持ちになった。それで、誤解は（⑧　　　　　　けて）、（⑨なか　　　　　　）することができた。
>
> 　彼女とは今でも親しく付き合っている。

2 連語　語と語のつながりや使い方を覚えよう。

例のように適当な言葉を線で結びなさい。

(1)　うわさを・　　　・感じる　　　(2)　敬意を・　　　・解ける

　　　不平を・　　　・広める　　　　　子供を・　　　・怒鳴る

　　　恩を　・　　　・言う　　　　　　愛が　・　　　・払う

　　　恋人を・　　　・振る　　　　　　誤解が・　　　・冷める

3 意味　基本的な意味を確認しよう。

　□□□の中から適当な言葉を選んで、（　　　）に入れなさい。

(1)　| 態度　理想　皮肉 |

　　① ここは広くてきれいで、私にとっては（　　　　　）的な家だ。

　　② 会社に遅刻したら、部長に「今日は早いね」と（　　　　　）を言われてしまった。

　　③ 彼は、考えていることがすぐに（　　　　　）に出るタイプだ。

(2)　| 思い切って　まさに　ようやく |

　　① 高いと思ったが、（　　　　　）買うことにした。

　　② 仕事を始めたときは緊張したが、一年たって（　　　　　）慣れてきた。

　　③ 電車が（　　　　　）出ようとしたとき、彼女が駅に着いた。

4 類義　似た意味の言葉はどれですか。

　＿＿＿の言葉に意味が近いほうを選びなさい。

(1)　その言葉を聞いて、彼に失望した。（　いらいらした　がっかりした　）

(2)　昔から、兄は女の子にもてる。（　にらまれる　人気がある　）

5 語形成　接辞や複合語を覚えよう。

正しいものに○を付けなさい。

(1)　人が嫌（　める　がる　まる　）仕事でも、彼は積極的にやってくれる。

(2)　怒られたからといって、すぐに反抗（　的　性　化　）な態度を取るのはよくない。

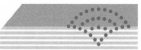

III. 実践練習 ≫

1. （　　）に入れるのに最もよいものを、1・2・3・4から一つ選びなさい。(2点×2)

1️⃣ 宿題を忘れたのを先生に言い（　　）なんて、ひどい。

1　合う　　　　　　2　込む　　　　　　3　つける　　　　　4　掛_かける

2️⃣ 彼女はかわい（　　）服装が大好きだ。

1　がった　　　　　2　そうな　　　　　3　みたいな　　　　4　らしい

2. （　　）に入れるのに最もよいものを、1・2・3・4から一つ選びなさい。(2点×2)

1️⃣ 恋人に振_ふられた友人を（　　）。

1　うらやむ　　　　2　うやまう　　　　3　あこがれる　　　4　なぐさめる

2️⃣ 父は、頭のいい弟のことを近所の人に（　　）いるらしい。

1　自慢_{じまん}して　　2　忠告_{ちゅうこく}して　　3　重視_{じゅうし}して　　4　反抗_{はんこう}して

3. ＿＿＿の言葉に意味が最も近いものを、1・2・3・4から一つ選びなさい。(2点×2)

1️⃣ いつもお世話になって、ありがたいと思っています。

1　感謝_{かんしゃ}して　　2　きちんとして　　3　気に入って　　4　尊敬して

2️⃣ どうしてあの人にうらまれているのか、理由がわからない。

1　うたがわれて　　2　だまされて　　　3　どなられて　　　4　にくまれて

4. 次の言葉の使い方として最もよいものを、1・2・3・4から一つ選びなさい。(4点×2)

1️⃣ みっともない

1　最近、目が悪くなって、遠くの字がみっともなくなってきた。

2　そんなにほめられると、みっともない気持ちになる。

3　知らない人と初めて会うと、みっともなくて、何も話せなくなる。

4　そんな汚い服で出かけるなんて、みっともない。

2️⃣ 見かける

1　私は映画を見かけるのが好きです。

2　最近、田中さんを見かけませんが、どうしたんですか。

3　彼女は勘_{かん}が鋭いから、うそをついてもすぐに見かけてしまう。

4　今のアパートは狭いので、新しいアパートを見かけたい。

Ⅰ. 言葉と例文 》

1 ウォーミングアップ

⑴　あなたが一番好きな料理は何ですか。それはどんな味ですか。

⑵　今までにお酒を飲んで失敗したことはありますか。

2 言葉

1. 食べる		
① 飯を食う	⑤ 料理を味わう	⑨ 皿をお盆で運ぶ
② リンゴをかじる	⑥ 香りをかぐ	⑩ 栄養を取る
③ 水を口に含む	⑦ 食欲がない	⑪ 消化がいい食べ物
④ あめをしゃぶる	⑧ 湯飲みでお茶を飲む	⑫ 食事が胃にもたれる

2. お酒		3. 材料
① ☐で（お）酒を飲む ● 宴会／歓迎会―送別会 ② （お）酒を☐ ● つぐ・注ぐ ● 勧める ● 冷やす―温める ③ （お）酒を飲むと☐ ● 酔う ● 頭痛がする ● 吐き気がする→吐く	● めまいがする ● 意識を失う ④ 酔いをさます／がさめる ⑤ 酔っ払いをうちに帰す ⑥ 刺身をつまむ	① ☐材料 ● ぜいたくな―粗末な ● 質がいい ● 貴重な ● 新鮮な ● 天然の ② 日本産の牛肉 ③ アフリカが原産の野菜 ▶調味料 酢／しょう油／こしょう

4. 味	
① 塩辛い・しょっぱい	④ 好みの味―苦手な味
② 酸っぱい	⑤ 好き好きのある味
③ さっぱりした―しつこい・くどい	⑥ 食べ物に好き嫌いがある

5. 食事の種類	6. 外食
① 和食―洋食	① 行列に並ぶ
② 和風―洋風の味付け	② 注文を追加する

3 語形成（ご けいせい）

(1) ～会（かい）　**歓迎会**（かんげいかい）　**送別会**（そうべつかい）　**新年会**（しんねんかい）

(2) ～産（さん）　**日本産**（に ほんさん）　**外国産**（がいこくさん）　**北海道産**（ほっかいどうさん）

(3) ～料（りょう）　**調味料**（ちょう み りょう）　**保存料**（ほ ぞんりょう）

(4) ～風（ふう）　**和風**（わ ふう）　**洋風**（ようふう）　**中華風**（ちゅう か ふう）　**現代風**（げんだいふう）

4 例文（れいぶん）　　副詞や副詞的表現（ふくし　ふくしてきひょうげん）と一緒（いっしょ）に使（つか）った例文（れいぶん）を見（み）てみよう。

(1) いつもよく食（た）べる息子（むすこ）が食欲（しょくよく）がないと言（い）うなんて、**よほど**具合（ぐ あい）が悪（わる）いのだろう。

(2) 社長（しゃちょう）がいらっしゃいましたので、**改（あらた）めて**乾杯（かんぱい）しましょう。

(3) 部長（ぶ ちょう）が**しきりに**お酒（さけ）を勧（すす）めるので、飲（の）みすぎた。

(4) **いくら**肉（にく）が好（す）きでも、毎日（まいにちた）食（た）べるのはよくないよ。

II. 基本練習 ≫

1 導入練習

I. 言葉（ことば）と例文（れいぶん）の中（なか）から適当（てきとう）なものを（　　　）に入（い）れて、文（ぶん）を完成（かんせい）させなさい。始（はじ）め、または終（お）わりの何文字（なんもじ）かはヒントとして示（しめ）してあります。

　日本の料理は、（①さっ　　　　　　）した味のものが多いが、私はラーメンや牛丼（ぎゅうどん）のように味が濃いものが大好きだ。おいしそうなラーメンの（②か　　　　　）をかぐだけで、（③しょく　　　　　　）が出てくる。有名なラーメン屋は人気があるので、ランチの時間には長い（④ぎょう　　　　　　　）に並ばなければ食べられないが、私は何分でも並ぶ。

　反対に、私の友人は味が濃いラーメンが苦手だそうだ。油が（⑤しつ　　　　　　　）から、胃に（⑥　　　　　　　れる）と言っていた。食べ物の好みは（⑦すき　　　　　　）だから、それぞれ好きなものが違っていいと思う。

---

2 連語　語と語のつながりや使い方を覚えよう。

例のように適当な言葉を線で結びなさい。

(1)　めまいが・　　　・しゃぶる　　(2)　うちに・　　　　・さめる
　　行列に・　　　　・つぐ　　　　　　お酒に・　　　　・酔う
　　あめを・　　　　・並ぶ　　　　　　酔いが・　　　　・帰す
　　お酒を・　　　　・する　　　　　　食事を・　　　　・味わう

3 意味　基本的な意味を確認しよう。

　　□□□の中から適当な言葉を選んで、（　　　　）に入れなさい。

(1)　| 原産　　食欲　　頭痛 |

　　① 最近、心配なことが多くて（　　　　　　）がする。

　　② テストの前になると、緊張して（　　　　　　　）がなくなる。

　　③ トマトは南アメリカが（　　　　　　）と言われている。

(2)　| 改めて　　しきりに　　いくら |

　　① 買うつもりはなかったが、（　　　　　　　）勧められたので高い服を買ってしまった。

　　② では、部長が戻られるころに、また（　　　　　　）お電話いたします。

　　③ 料理が（　　　　　　）おいしくても、サービスが悪い店には行きたくない。

4 類義　似た意味の言葉はどれですか。

　　＿＿＿の言葉に意味が近いほうを選びなさい。

(1)　グラスにビールを注いで乾杯する。（　　ついで　　流して　　）

(2)　お酒を飲みすぎると、意識を失うこともある。（　　もどす　　なくす　　）

5 語形成　接辞や複合語を覚えよう。

正しいものに○を付けなさい。

(1)　私たちの店では日本（　産　　料　　的　）の野菜だけを使っています。

(2)　友達が国へ帰ることになったので送別（　集　　会　　場　）を開く。

/20点

III. 実践練習 ≫

1. （　　）に入れるのに最もよいものを、1・2・3・4から一つ選びなさい。(2点×2)

1 このパンには、保存（　　）が入っていないので、早く食べなければならない。

   1 品　　　　　　2 料　　　　　　3 物　　　　　　4 食

2 ヨーロッパ（　　）の庭で紅茶を飲む。

   1 室　　　　　　2 食　　　　　　3 的　　　　　　4 風

2. （　　）に入れるのに最もよいものを、1・2・3・4から一つ選びなさい。(2点×2)

1 この味は私の（　　）だ。

   1 好き嫌い　　　2 好き好き　　　3 好み　　　　　4 苦手

2 そんな（　　）生活を続けていたら、すぐにお金がなくなりますよ。

   1 器用な　　　　2 慎重な　　　　3 地味な　　　　4 ぜいたくな

3. ＿＿＿の言葉に意味が最も近いものを、1・2・3・4から一つ選びなさい。(2点×2)

1 私の国では、水はとても貴重だ。

   1 上級　　　　　2 新鮮　　　　　3 粗末　　　　　4 大切

2 このみそ汁はしょっぱくて飲めない。

   1 臭くて　　　　2 くどくて　　　3 塩辛くて　　　4 酸っぱくて

4. 次の言葉の使い方として最もよいものを、1・2・3・4から一つ選びなさい。(4点×2)

1 含む

   1 封筒は、コンサートの切符を含んでいた。

   2 この部屋には、五十人含むことができる。

   3 では、皆さんの意見を一つに含みましょう。

   4 この値段は、サービス料と税金を含んでいます。

2 追加

   1 ランチ料金に百円追加すると、好きな飲み物が注文できる。

   2 そんな追加なものを買うのはやめてください。

   3 手紙に旅行の写真を追加して送ります。

   4 今年、赤ちゃんが生まれて、家族が追加した。

Ⅰ. 言葉と例文 ≫

1 ウォーミングアップ

(1) あなたは料理を作りますか。

(2) あなたが作れる料理の作り方を一つ教えてください。

2 言葉

---

1. 家事

① 私は**家事**が**得意**だ

▶**衣服**
① **毛糸**で**手袋**を**編む**
② ミシンで服を**縫う**
③ 好きな**柄・模様**
④ **しま模様**のスカート

▶**掃除**
① ごみが**散らかる**
② **家具**を**どける**
③ **ほこり**を**払う**
④ **ほうき**で**掃く**
⑤ **ふきん**で机を**ふく**
⑥ **ぞうきん**を**絞る**
⑦ 床が**ぴかぴか**に**光る**
⑧ **本棚**を**整理**する

▶**洗濯**
① **洗濯物**を ☐☐☐☐
　● **裏返す**
　● **干す・乾かす**
　● **畳む**
② セーターが**縮む**
③ **しわ**を**伸ばす**
④ ハンガーに**つるす**

▶**炊事**
① **献立**を**決める**
② 〔**材料**〕を ☐☐☐☐
　● **ゆでる**
　● **蒸す**
　● **揚げる**
　● **いる**

③ ご飯を**炊く**
④ フライパンを**熱する／加熱**する
⑤ 魚を**煮る／**が**煮える**
⑥ なべを**焦がす／**が**焦げる**
⑦ 卵を**溶く**
⑧ チーズを**溶かす／**が**溶ける**
⑨ 料理が**出来上がる／仕上がる**
⑩ **出来立て**の料理

▶**その他**
① 使わないものを**倉庫**にしまう
② **瓶**に**栓**をする
③ **かび**が**生える**
④ 魚が**腐る**

---

2. 子供

① **赤ん坊**に服を**着せる**
② **子供**を ☐☐☐☐
　● **なでる**
　● **抱く・だっこする**
　● **背負う・おんぶする**
③ 子供に／を**構う**

④ 子供が**暴れる**
⑤ ご飯を**こぼす／**が**こぼれる**
⑥ 服を**汚す／**が**汚れる**

---

3 語形成
<ruby>語形成<rt>ご けいせい</rt></ruby>

(1) 〜<ruby>模様<rt>も よう</rt></ruby>　しま<ruby>模様<rt>も よう</rt></ruby>　<ruby>水玉<rt>みずたま</rt></ruby><ruby>模様<rt>も よう</rt></ruby>

(2) 〜<ruby>返<rt>かえ</rt></ruby>す　<ruby>裏返<rt>うらがえ</rt></ruby>す　<ruby>引<rt>ひ</rt></ruby>っ<ruby>繰<rt>く</rt></ruby>り<ruby>返<rt>かえ</rt></ruby>す

(3) 〜<ruby>上<rt>あ</rt></ruby>がる　<ruby>出来<rt>で き</rt></ruby><ruby>上<rt>あ</rt></ruby>がる　<ruby>仕上<rt>し あ</rt></ruby>がる

(4) 〜<ruby>立<rt>た</rt></ruby>て　<ruby>出来<rt>で き</rt></ruby><ruby>立<rt>た</rt></ruby>て　<ruby>焼<rt>や</rt></ruby>き<ruby>立<rt>た</rt></ruby>て

4 例文　副詞や副詞的表現と一緒に使った例文を見てみよう。

(1) <ruby>毎日<rt>まいにち</rt></ruby><ruby>家具<rt>か ぐ</rt></ruby>をふく<ruby>必要<rt>ひつよう</rt></ruby>はないが、**せめて**ほこりは<ruby>払<rt>はら</rt></ruby>ったほうがいい。

(2) <ruby>赤<rt>あか</rt></ruby>ん<ruby>坊<rt>ぼう</rt></ruby>が<ruby>泣<rt>な</rt></ruby>いていたのでだっこしたら、**かえって**ひどく<ruby>泣<rt>な</rt></ruby>いてしまった。

(3) <ruby>肉<rt>にく</rt></ruby>を<ruby>入<rt>い</rt></ruby>れる<ruby>前<rt>まえ</rt></ruby>に、**あらかじめ**フライパンを<ruby>熱<rt>ねっ</rt></ruby>しておいてください。

(4) <ruby>同<rt>おな</rt></ruby>じ<ruby>材料<rt>ざいりょう</rt></ruby>を<ruby>使<rt>つか</rt></ruby>っても、<ruby>作<rt>つく</rt></ruby>り<ruby>方<rt>かた</rt></ruby>を<ruby>変<rt>か</rt></ruby>えると<ruby>料理<rt>りょうり</rt></ruby>が**ぐっと**おいしくなる。

II．基本練習 ≫

1 導入練習

I．言葉と例文の中から適当なものを（　　　　）に入れて、文を完成させなさい。始め、または終わりの何文字かはヒントとして示してあります。

　　私の母は家事が得意だ。私が小さいころ、ミシンで服を（①　　　　　って）くれたり、セーターを（②　　　　ん で）くれたりした。掃除も上手で、毎日ぞうきんで床を（③　　　　　いて）いたから、家の中はいつもきれいで（④ぴ　　　　　）だった。特に料理は得意で、天ぷらを（⑤あ　　　　　）り、<ruby>豆<rt>まめ</rt></ruby>を<ruby>煮<rt>に</rt></ruby>たりして、毎日違う（⑥こん　　　　　）を考えてくれた。

　　今、私は一人暮らしをしている。忙しくて、お米を（⑦　　　　く）時間さえないので、毎日、買ってきたお<ruby>弁当<rt>べんとう</rt></ruby>を電子レンジで温めて食べている。部屋もあまり片付けないから、（⑧　　　　かって）いる。母が知ったら、きっと怒るだろう。

---

2 連語 語と語のつながりや使い方を覚えよう。

例のように適当な言葉を線で結びなさい。

(1) 子供が　　　　・生える　　(2) 野菜を　・　　　　・縫^ぬう

肉を　・　　　　・暴れる　　　　魚が　・　　　　・ゆでる

かびが・　　　　・蒸す　　　　ほうきで・　　　　・掃く

しわを・　　　　・伸ばす　　　ミシンで・　　　　・腐^{くさ}る

3 意味 基本的な意味を確認しよう。

□□□の中から適当な言葉を選んで、（　　　）に入れなさい。

(1)　| 献立^{こんだて}　衣服　倉庫^{そうこ} |

① 毎日、夕食の（　　　　　　）を考えるのは大変だ。

② 本が部屋に入らなくなったので、近くに（　　　　　）を借りた。

③ 赤ちゃんには清潔^{せいけつ}な（　　　　　）を着せてください。

(2)　| あらかじめ　　かえって　　せめて |

① 国にいる家族にあまり会えないので、（　　　　　）声だけでも聞きたい。

② あの人の説明を聞いたら（　　　　）わからなくなった。

③ 旅行に行く前に、行きたい場所を（　　　　）調べておこう。

4 類義 似た意味の言葉はどれですか。

＿＿＿の言葉に意味が近いほうを選びなさい。

(1) 女の人が赤ちゃんを<u>だっこして</u>いる。（　おんぶして　抱いて　）

(2) 雨でぬれたTシャツをハンガーにつるして<u>干した</u>。（　縮^{ちぢ}んだ　乾かした　）

5 語形成 接辞や複合語を覚えよう。

正しいものに○を付けなさい。

(1) このビール工場では、見学すると出来（　ばかり　立て　合い　）のビールが飲める。

(2) フランスの旗^{はた}は、左から青・白・赤と並ぶしま（　模様^{もよう}　形　様子　）だ。

Ⅲ. 実践練習 ≫

1. （　　）に入れるのに最もよいものを、1・2・3・4から一つ選びなさい。(2点×2)

① 引き出しを（　　）返して調べたが、パスポートは見つからなかった。

　　1　裏　　　　　　　2　表　　　　　　　3　そっくり　　　4　引っ繰り

② 夕食がすぐに出来（　　）ますから、もう少し待っていてください。

　　1　上がり　　　　　2　上げ　　　　　　3　立て　　　　　4　立ち

2. （　　）に入れるのに最もよいものを、1・2・3・4から一つ選びなさい。(2点×2)

① うちの犬は頭を（　　）と、とても喜ぶ。

　　1　かまう　　　　　2　たたむ　　　　　3　なでる　　　　4　どける

② この工場では、割れたガラスを（　　）コップや皿を作っています。

　　1　溶かして　　　　2　溶いて　　　　　3　溶けて　　　　4　溶かせて

3. ＿＿＿の言葉に意味が最も近いものを、1・2・3・4から一つ選びなさい。(2点×2)

① これは私が一番好きながらのスカートです。

　　1　色　　　　　　　2　形　　　　　　　3　模様　　　　　4　見かけ

② 私は炊事が一番苦手です。

　　1　火事　　　　　　2　料理　　　　　　3　家事　　　　　4　掃除

4. 次の言葉の使い方として最もよいものを、1・2・3・4から一つ選びなさい。(4点×2)

① どける

　　1　あ、服にほこりが付いていますよ。どけたほうがいいですよ。

　　2　掃除しますから、そんなところで寝ていないでどけてください。

　　3　通れないので、ちょっと机をどけてもらえませんか。

　　4　授業中は、帽子やコートをどけてください。

② 整理

　　1　皆さん、一列に整理して並んでください。

　　2　資料を整理しておかないと、必要なときに見つからなくなってしまう。

　　3　安全のために、飛行機を丁寧に整理しなければならない。

　　4　お客様がいらっしゃるので、ホテルやタクシーを整理しておく。

I. 言葉と例文 ≫

1 ウォーミングアップ

(1) 風邪を引いたとき、どんなことをしますか。

(2) 次の中であなたが健康のためにしていることを教えてください。

> スポーツをする　野菜をたくさん食べる　よく寝る　お酒をあまり飲まない
>
> 食べすぎないようにする　その他　何もしていない

2 言葉

1. 体調・症状

① 体の調子を崩す

② インフルエンザにかかる

③ ウイルスが伝染する

④ 骨折する

⑤ 血圧が高い→高血圧

⑥ 疲れがたまる

⑦ 肩をもむ

⑧ 白髪が抜ける

⑨ 足首をひねる・ねじる

⑩ 足に包帯を巻く

⑪ 薬が効く

▶症状

① 全身が震える

② 顔が青白い

③ 苦痛を感じる

④ 足がしびれる

2. 病院

① 薬局で薬をもらう

② 患者を診る・診察する・診断する

③ 内科／外科の医者

④ 病気の人を看病する

3. からだの動き

① 赤ちゃんがはう

② 壁にもたれる

③ 床にしゃがむ

④ いすに腰掛ける―いすから立ち上がる

4. 健康・美容

▶健康

① 余分な栄養を取らない

② 風邪を予防する

③ 適度に休養を取る

④ 手を消毒する

⑤ 衛生的な生活をする

⑥ 徹夜して睡眠が不足する→睡眠不足だ

⑦ 健康を管理する

⑧ ◯◯◯◯が出る・をする

● せき／くしゃみ／しゃっくり／あくび

⑨ 不規則な生活

⑩ 平均寿命が長くなる

▶美容

① 肌が荒れる

② かみそりでひげをそる

③ くし／ブラシで髪をとく・とかす

3 語形成
(1) 高〜　　高血圧　高カロリー
(2) 〜上がる　立ち上がる　起き上がる　飛び上がる
(3) 〜不足　睡眠不足　寝不足　運動不足
(4) 平均〜　平均寿命　平均気温　平均点

4 例文　　副詞や副詞的表現と一緒に使った例文を見てみよう。
(1) 問題はないと思うが、**一応**病院で検査を受けてみよう。
(2) 疲れがたまっているようですから、**当分**休養を取ったほうがいいでしょう。
(3) インフルエンザは、**たちまち**国中に広がった。
(4) そんなに甘いものばかり食べていたら、**今に**虫歯になるよ。

Ⅱ．基本練習 ≫

1 導入練習

Ⅰ．言葉と例文の中から適当なものを（　　　）に入れて、文を完成させなさい。始め、または終わりの何文字かはヒントとして示してあります。

先日、いすに（①　　　　　かけ）ようとしたときに、突然、背中に強い痛みを感じた。いすから（②　　　　　がる）ことができないくらい痛かったので、病院へ行って（③しん　　　　　）を受けたが、特に問題はないと言われた。これからは、毎日体を動かすことと、適度に（④きゅう　　　　　）を取って疲れが（⑤　　　　　らない）ようにすることが大切だそうだ。

　最近、仕事が忙しくて運動をしていなかったし、（⑥すいみ　　　　　）だったから、反省した。忙しいからといって（⑦ふ　　　　　）な生活をしていると、体の（⑧ちょ　　　　　）を崩してしまうから、これから注意しようと思う。

---

2 連語　語と語のつながりや使い方を覚えよう。

例のように適当な言葉を線で結びなさい。

(1)　薬が・　　　　・とかす
　　　せきが・　　　・診_みる
　　　患者_{かんじゃ}を・　　　・効く
　　　髪を・　　　　・出る

(2)　毛が・　　　　・荒れる
　　　ひげを・　　　・取る
　　　肌が・　　　　・そる
　　　休養_{きゅうよう}を・　　・抜ける

3 意味　基本的な意味を確認しよう。

　　　　の中から適当な言葉を選んで、（　　　）に入れなさい。

(1)　| 看病　症状_{しょうじょう}　美容 |

　　　① 母は、病気の祖父を（　　　　　）している。

　　　② 姉は、（　　　　　　）のために毎日野菜をたくさん食べている。

　　　③ インフルエンザの（　　　　　）は、風邪_{かぜ}と似ている。

(2)　| 一応　当分　今に |

　　　① 彼は（　　　　　　）世界的に有名な歌手になるだろう。

　　　② 道はわかると思いますが、（　　　　　　）地図をかいておきます。

　　　③ 雨は（　　　　　　）やまないだろう。

4 類義　似た意味の言葉はどれですか。

　　　　の言葉に意味が近いほうを選びなさい。

(1)　ベッドに腰掛_{こしか}けて、本を読んだ。（　寝て　座って　）

(2)　電車の中で、突然、お年寄りが床にしゃがんでしまった。（　寝て　座って　）

5 語形成　接辞や複合語を覚えよう。

正しいものに○を付けなさい。

(1)　最近、運動（　不満　不足　不平　）なので、毎日自転車に乗ろうと思う。

(2)　年を取ると（　高　上　多　）血圧になりやすい。

Ⅲ. 実践練習 ≫

1. （　　）に入れるのに最もよいものを、1・2・3・4から一つ選びなさい。(2点×2)

1　部屋の電気が急に消えたので、（　　）上がるほどびっくりした。

   1　起き　　　　　　2　飛び　　　　　　3　立ち　　　　　　4　持ち

2　この国の人々の平均（　　）は延び続けている。

   1　寿命
     じゅみょう　　　　2　人生　　　　　　3　生命　　　　　　4　年数

2. （　　）に入れるのに最もよいものを、1・2・3・4から一つ選びなさい。(2点×2)

1　赤ん坊が床を（　　）いる。

   1　ふるえて　　　　2　しゃがんで　　　3　はって　　　　　4　もたれて

2　長い時間座っていると足が（　　）しまう。

   1　あれて　　　　　2　かかって　　　　3　しびれて　　　　4　たまって

3. ＿＿＿＿の言葉に意味が最も近いものを、1・2・3・4から一つ選びなさい。(2点×2)

1　テニスの練習中に足をひねってしまった。

   1　とかして　　　　2　ねじって　　　　3　もたれて　　　　4　おさえて

2　最近太ってきたので、余分な油は取らないようにしている。

   1　いつもの　　　　2　要らない　　　　3　必要な　　　　　4　よくない

4. 次の言葉の使い方として最もよいものを、1・2・3・4から一つ選びなさい。(4点×2)

1　伝染
  でんせん

   1　これは、日本の伝染的なお正月の料理です。

   2　そのニュースは、三日もたたないうちに世界中に伝染した。

   3　インフルエンザに伝染してしまって、学校を休んだ。

   4　この病気は、患者のくしゃみやせきによって伝染する。

2　効く

   1　この料理は、こしょうがよく効いている。

   2　台風が来たが、農産物にはあまり効かなかった。

   3　この切符は3か月間効きます。

   4　今日はエレベーターが効きませんから、階段を使ってください。

3章　趣味・娯楽

Ⅰ．言葉と例文 ≫

1 ウォーミングアップ

(1)　あなたの趣味は何ですか。どうしてそれが好きですか。

2 言葉

1．スポーツ

▶練習
① 訓練・トレーニングする
② 監督／コーチが指導する
③ 技術が上達する

▶競技
① 試合に出場する
② 見事な活躍をする
③ 試合でミスする

④ ルールに従う—違反する
⑤ 観客が応援する
⑥ ベテランの選手が引退する
⑦ 敵が攻める—味方が守る
⑧ 勝敗・勝負が決まる
⑨ 敵を破る—敵に敗れる
⑩ 引き分けになる
⑪ 賞品・賞金をもらう

2．文芸

① 趣味は読書だ
② 彼は □□□□ だ
　● 作家
　● あの本の著者・筆者

▶書籍
① 目次・索引を見る
② 日本社会に関する評論を執筆する

③ 古典を現代語に訳す・古典に現代語訳を付ける
④ 名作・傑作が生まれる
⑤ 印象的な名場面だ
⑥ 未発表の随筆が見つかる
⑦ 粗筋を説明する
⑧ 文芸作品を解説する

3．その他

▶演劇・芝居
① ～役の役者は演技がうまい
② 劇場の客席は満員だ
③ 舞台・ステージの幕が上がる
④ セリフを覚える

▶その他
① 曲を演奏する
② 私の趣味は裁縫／編み物／工芸だ
③ 人形に綿を詰める
④ 木を削る／彫る

---

③ 語形成 _{ごけいせい}

(1) ～訳 _{やく}　**現代語訳** _{げんだいごやく}　**日本語訳** _{にほんごやく}

(2) ～的 _{てき}　**印象的** _{いんしょうてき}　**古典的** _{こてんてき}

(3) 名～ _{めい}　**名場面** _{めいばめん}　**名勝負** _{めいしょうぶ}　**名曲** _{めいきょく}

(4) 未～ _み　**未発表** _{みはっぴょう}　**未完成** _{みかんせい}

④ 例文 _{れいぶん}　副詞や副詞的表現と一緒に使った例文を見てみよう。_{ふくし　ふくしてきひょうげん　いっしょ　つか　れいぶん　み}

(1) あのチームには勝ったことがないが、今日は**ひょっとすると**勝てるかもしれない。_{か　きょう　か}

(2) **わずか**一点の差で、負けてしまった。_{いってん　さ　ま}

(3) 今**まさに**舞台の幕が上がるところだ。_{いま　ぶたい　まく　あ}

(4) 彼女の演技は**実に**すばらしい。_{かのじょ　えんぎ　じつ}

Ⅱ. 基本練習 ≫

① 導入練習

Ⅰ. 言葉と例文の中から適当なものを（　　　）に入れて、文を完成させなさい。始め、または終わりの何文字かはヒントとして示してあります。

　私たち夫婦は、趣味が全然違うので、休日を別々に過ごすことが多い。私の趣味はスポーツの試合を見ることだ。スポーツなら何でも好きだが、一番好きなのはサッカーだ。私が（①おう　　　　　　）しているチームは、今年、とても強かった。だが、（②ベテ　　　　　　）の選手が今年で（③いん　　　　　）してしまうので、来年はどうなるか心配だ。

　妻は、昔、女優になりたかったそうで、今でもよく（④しば　　　　）を見に行く。好きな（⑤やく　　　　　　）が出る（⑥ぶた　　　　　）があると何回も見に行くから、（⑦セ　　　　　）をだいたい覚えている。ときどき、妻と一緒に劇場に行くことがあるが、妻が話の（⑧あら　　　　　）を先に話してしまうので、困っている。

2 連語　語と語のつながりや使い方を覚えよう。

例のように適当な言葉を線で結びなさい。

(1)　ルールに・　　　・解説する　　　(2)　味方を　・　　　・違反する

　　　敵を　・　　　・決まる　　　　　　　敵に　・　　　・守る

　　　勝敗が・　　　・従う　　　　　　　　ルールに・　　　・訳す

　　　試合を・　　　・破る　　　　　　　　日本語に・　　　・敗れる

3 意味　基本的な意味を確認しよう。

▢の中から適当な言葉を選んで、（　　　）に入れなさい。

(1)　| 裁縫　　書籍　　文芸 |

①　最近、（　　　　　）があまり売れず、書店が苦しんでいる。

②　小説や詩など、言語を使った芸術を（　　　　　）と言う。

③　母は（　　　　　）が得意で、よく服を作ってくれた。

(2)　| 実に　　まさに　　わずかに |

①　この映画は（　　　　　）面白い。

②　鳥が、今（　　　　　）飛ぼうとしている。

③　雪は夜の間にほとんど溶けて、朝には（　　　　　）残るだけだった。

4 類義　似た意味の言葉はどれですか。

＿＿＿の言葉に意味が近いほうを選びなさい。

(1)　強い敵を破るためには、毎日の訓練が大切だ。（　コーチ　トレーニング　）

(2)　あの役者は、五歳で初めて舞台に立った。（　ステージ　ダンス　）

5 語形成　接辞や複合語を覚えよう。

正しいものに〇を付けなさい。

(1)　今度の旅行で最も印象（　度　性　的　）だったところはどこですか。

(2)　あの小説の日本語（　訳　本　書　）が出るのを楽しみにしている。

III. 実践練習 ≫

1. （　　）に入れるのに最もよいものを、1・2・3・4から一つ選びなさい。(2点×2)

1 今日の試合は、今までで一番の（　　）勝負だった。

    1 強   2 名   3 上   4 未

2 作品が（　　）完成のまま、作者は亡くなってしまった。

    1 未   2 非   3 不   4 無

2. （　　）に入れるのに最もよいものを、1・2・3・4から一つ選びなさい。(2点×2)

1 私は、子供のときから（　　）になるのが夢だった。

    1 作者   2 作家   3 著者   4 筆者

2 有名な役者が、去年、世界旅行に行ったときの思い出を（　　）にしたそうだ。

    1 古典こてん   2 随筆ずいひつ   3 文芸   4 評論

3. ＿＿＿の言葉に意味が最も近いものを、1・2・3・4から一つ選びなさい。(2点×2)

1 友人が、今、この雑誌で小説を執筆しっぴつしている。

    1 書いて   2 買って   3 載のせて   4 読んで

2 ワールドカップでの彼の活躍かつやくは、見事だった。

    1 すばらしかった   2 おもしろかった   3 しつこかった   4 めずらしかった

4. 次の言葉の使い方として最もよいものを、1・2・3・4から一つ選びなさい。(4点×2)

1 詰める

    1 朝の電車には、いつもたくさんの人々が詰めている。

    2 こちらの紙に、住所、名前など必要なことを詰めてください。

    3 暇ひまなときは、いつも喫茶店で時間を詰めています。

    4 引っ越しをする前に、荷物を箱に詰めておきます。

2 引退

    1 政治家が病気を理由に引退を発表した。

    2 けがをしてしまったので、マラソン大会を引退した。

    3 子供が生まれたのをきっかけに、たばこを引退することにした。

    4 アメリカに留学するために、高校を引退した。

Ⅰ. 言葉と例文　≫

1 ウォーミングアップ

(1) 今まで、どんなところを旅行したことがありますか。

(2) 友達があなたの国に行くとしたら、どこを紹介しますか。それはどうしてですか。

2 言葉

1. 旅行

▶準備	③ 別荘に滞在する
① 日程・プランを決める	▶海外旅行
② 座席を指定する	① 税関を通る
③ 往復─片道の航空券を買う	② 通訳を頼む
④ 〔人〕と待ち合わせる	③ パスポートを取る
▶種類	④ 免税店で(お)土産を買う
① 団体旅行─個人旅行	⑤ 〔人〕を見送る─出迎える
② 日帰り─宿泊(二泊三日)	

2. 観光

① 城の跡／広場を見る	④ 活気のある町
② 名所を回る・巡る	⑤ 混雑した大通りを歩く
③ 首都／都心─地方	⑥ 川沿いの道を歩く

3. 交通

▶交通機関	▶電車・駅
① 鉄道／高速バス／モノレール	① 線路／(プラット)ホーム／売店
② 停留所でバスを待つ	② 踏切を横断する
③ 道に迷う	③ 上り電車─下り電車
④ 信号を無視する	④ 電車が発車する─停車する
⑤ 出発する・発つ─到着する・着く	⑤ 東京駅で乗車する─下車する
⑥ 東京発香港経由ロンドン行きの飛行機	⑥ 電車で通学／通勤する
⑦ 交通の便がいい	⑦ 定期券／回数券を買う
	⑧ ひどいラッシュアワーを避ける
	⑨ 乗客が定員を超える

3 語形成

(1) ～券　　航空券　定期券　回数券

(2) 団体～　　団体旅行　団体競技

(3) 個人～　　個人旅行　個人競技

(4) ～沿い　　川沿い　線路沿い

(5) ～機関　　交通機関　教育機関

(6) ～発　　東京発　ロンドン発

(7) ～行き　　ロンドン行き　東京行き

4 例文　　副詞や副詞的表現と一緒に使った例文を見てみよう。

(1) 都会の電車は込んでいる。**中でも**ラッシュアワーの混雑はひどいものだ。

(2) 駅に着いたときには、列車は**既に**発車していた。

(3) 給料は少ないが、**何とか**生活はできている。

(4) **たった**一日で、この町の名所を全部見るなんて無理ですよ。

II．基本練習 ≫

1 導入練習

I．言葉と例文の中から適当なものを（　　　）に入れて、文を完成させなさい。始め、または終わりの何文字かはヒントとして示してあります。

　　今、飛行機の中にいる。田中さんとアメリカへ行くところだ。アメリカには友達のマイケルがいるので、向こうでは彼の家に（①たい　　　　　）する予定だ。アメリカに行くのは初めてだが、向こうの空港ではマイケルが（②　　　　えて）くれるはずなので、安心だ。

　　三日前に旅行の（③にっ　　　　）を決めてから、急いで（④おう　　　　）の航空券を買い、お金をドルに換えた。今朝は、十時に空港で（⑤　　　　わせる）約束だったが、田中さんは遅れてきた。空港へ来る途中で（⑥パス　　　　）を忘れたことに気付いて、取りに帰ったそうだ。それでも、何とか飛行機の出発時間には間に合った。最後に、空港の（⑦めん　　　　）でマイケルのためにお土産を買った。喜んでくれるといいと思う。

---

2 連語　　語と語のつながりや使い方を覚えよう。

例のように適当な言葉を線で結びなさい。

(1)　パスポートを・　　　　　・回る　　　　(2)　東京を　・　　　　　・下車する

　　　名所を　　　・　　　　　・取る　　　　　　ホテルに・　　　　　・滞在（たいざい）する

　　　道に　　　　・　　　　　・見送る　　　　　東京駅で・　　　　　・無視（むし）する

　　　友人を　　　・　　　　　・迷う　　　　　　信号を　・　　　　　・発（た）つ

3 意味　　基本的な意味を確認しよう。

☐☐☐の中から適当な言葉を選んで、（　　　）に入れなさい。

(1)　┌─────────────────┐
　　　│　経由　　税関　　日帰り　│
　　　└─────────────────┘

　　　① 成田空港からドバイ（　　　　　　　）でナイロビまで行った。

　　　② その温泉は近いから（　　　　　　　）でも行けます。

　　　③ （　　　　　　　）を通るときに、荷物を調べられた。

(2)　┌─────────────────┐
　　　│　中でも　　何とか　　既（すで）に　│
　　　└─────────────────┘

　　　① この車はちょっと狭いが、（　　　　　　　）四人は乗れるだろう。

　　　② ホテルの予約を取ろうとしたが、（　　　　　　　）いっぱいだと言う。

　　　③ このクラスは皆よく勉強するが、（　　　　　　　）彼女は特別だ。

4 類義　　似た意味の言葉はどれですか。

＿＿＿の言葉に意味が近いほうを選びなさい。

(1)　毎日電車で通学している。（　通って　　乗って　）

(2)　都会は地方より何かと便利だ。（　田舎（いなか）　　他方　）

5 語形成　　接辞や複合語を覚えよう。

正しいものに○を付けなさい。

(1)　大雪のため、都心の交通（　電車　　団体　　機関　）は全部止まっている。

(2)　この線路（　通り　　沿（そ）い　　まま　）に歩いていくと、私の家に着きます。

Ⅲ. 実践練習 ≫

1. （　　）に入れるのに最もよいものを、1・2・3・4から一つ選びなさい。(2点×2)

1 相撲は一対一で行われる（　　）競技のスポーツだ。

   1　二人　　　　　　2　個人　　　　　　3　集団　　　　　　4　団体

2 東京からニューヨーク（　　）の飛行機が飛び立った。

   1　発　　　　　　　2　着　　　　　　　3　終点　　　　　　4　行き

2. （　　）に入れるのに最もよいものを、1・2・3・4から一つ選びなさい。(2点×2)

1 今度いつ帰国できるかわからないので、（　　）の航空券を買った。

   1　往復　　　　　　2　日帰り　　　　　3　個人　　　　　　4　片道

2 航空券を予約したとき、座席も（　　）しておいた。

   1　指定　　　　　　2　予定　　　　　　3　購入　　　　　　4　プラン

3. ＿＿＿＿の言葉に意味が最も近いものを、1・2・3・4から一つ選びなさい。(2点×2)

1 この町はとても活気がある。

   1　人気がある　　2　勇気がある　　3　にぎやかだ　　4　活発だ

2 大通りは夕方とても混雑する。

   1　混乱する　　　2　込む　　　　　3　騒がしい　　　4　にぎやかだ

4. 次の言葉の使い方として最もよいものを、1・2・3・4から一つ選びなさい。(4点×2)

1 無視

   1　無視を続けていると目が疲れる。

   2　授業中、先生が無視していたから、こっそり漫画を読んだ。

   3　映画の怖い場面で、思わず無視した。

   4　彼に話しかけたのに無視されてしまった。

2 横断

   1　服を作るために、布を半分に横断した。

   2　アメリカ大陸横断の旅に出た。

   3　道の横断に桜の木が植えてある。

   4　日本を北から南へ向かって、横断する予定だ。

Ⅰ. 言葉と例文 ≫

1 ウォーミングアップ

(1) あなたの町はどんなところにありますか。天気や気温はどうですか。

2 言葉

---

1. 地形

▶陸
① 日本列島は南北に長い
② 船で半島／岬を回る
③ なだらかな丘
④ 険しい山の頂上
⑤ 山のふもと
⑥ 山に囲まれた盆地／平野
⑦ 谷に滝が流れ落ちる

⑧ 湖で泳ぐ
⑨ 地下水がわく
⑩ 薄暗い森林へ入る
⑪ 砂・泥ばかりで地盤が弱い
⑫ 砂漠が広がる
▶海
① 船が沖に出る―船が岸に戻る
② 船が湾に入る

---

2. 天気

① 温暖な国に住む
② 高気圧が近づく
③ あらしが吹く
④ 霧が出る
⑤ 快晴の空
⑥ 夕立になる

3. 風景

① 窓の外を眺める→眺めがいい
② 空を見上げる―海を見下ろす
③ 地平線／水平線に夕日が沈む
④ 日が暮れると、真っ暗になる

---

4. 四季

▶春
① 新年度／新学期が始まる
② 花見のシーズン
▶夏
① 梅雨が明ける
② 湿度が高くて蒸し暑い
③ 日差しがまぶしい
④ 汗をかく

▶秋
① 紅葉（こうよう／もみじ）
② 果実が実る
③ 稲を刈る
▶冬
① 初雪が降る
② 初霜が降りる
③ 吹雪に遭って凍える

---

3 語形成^{ご けいせい}

(1) ～上^あげる　見上^{み あ}げる　持^もち上^あげる　取^とり上^あげる

(2) 真^まっ～　真^まっ暗^{くら}　真^まっ黒^{くろ}　真^まっ白^{しろ}　真^まっ赤^か　真^まっ青^{さお}

(3) 新^{しん}～　新年度^{しんねん ど}　新学期^{しんがっ き}　新製品^{しんせいひん}

(4) 初^{はつ}～　初雪^{はつゆき}　初霜^{はつしも}　初出場^{はつしゅつじょう}　初優勝^{はつゆうしょう}

4 例文^{れいぶん}　副詞^{ふく し}や副詞的表現^{ふく し てきひょうげん}と一緒^{いっしょ}に使^{つか}った例文^{れいぶん}を見^みてみよう。

(1) 列車^{れっしゃ}の窓^{まど}から**ぼんやり**風景^{ふうけい}を眺^{なが}める。

(2) 岸^{きし}から**はるかに**離^{はな}れた沖^{おき}に、船^{ふね}が見^みえる。

(3) 今年^{ことし}は五月^{ご がつ}から既^{すで}に暑^{あつ}かったが、梅雨^{つゆ}が明^あけてから**一段^{いちだん}と**暑^{あつ}くなってきた。

(4) この辺^{あた}りは、冬^{ふゆ}の朝^{あさ}、快晴^{かいせい}になると、**決^きまって**霜^{しも}が降^おりるほどの寒^{さむ}さになる。

Ⅱ．基本練習 ≫

1 導入練習

Ⅰ. 言葉と例文の中から適当なものを（　　　）に入れて、文を完成させなさい。始め、または終わりの何文字かはヒントとして示してあります。

> 　私は、東西南北を山に囲まれた（①ぼ　　　　　）にある小さな町から来た。夏は湿度が高いので非常に（②むし　　　　）が、冬は（③こご　　　　　）ほど寒い。
> 　町の北にある山に登ると、遠くに海を（④　　　　ろす）ことができ、とても（⑤な　　　　）がいい。子供のころは、（⑥すいへ　　　　　）に沈む夕日を頂上から眺^{なが}めるのが好きだった。
> 　町の南にある山の（⑦ふ　　　　）には大きな湖があり、夏にはキャンプに行く人が多い。秋になると、（⑧　　　　よう）がとても美しい。
> 　あまりにぎやかな町ではないが、自然が残っていて、とてもいいところだと思う。

2 連語　　語と語のつながりや使い方を覚えよう。

例のように適当な言葉を線で結びなさい。

(1)　なだらかな・　　　　・部屋　　　(2)　果実が・　　　　・実る

　　　温暖な　　・　　　・気候　　　　　　あらしが・　　　・わく

　　　まぶしい　・　　　・丘_{おか}　　　　　　汗を　　・　　　・吹く

　　　薄暗い　　・　　　・日差し　　　　　地下水が・　　　・かく

3 意味　　基本的な意味を確認しよう。

□□□の中から適当な言葉を選んで、（　　　　）に入れなさい。

(1)　┌─────────────┐
　　　│ 盆地_{ぼんち}　地盤_{じばん}　砂漠_{さばく} │
　　　└─────────────┘

　　　① 甲府_{こうふ}は、周りを山に囲まれた（　　　　　）にある町だ。

　　　② 気候の変化で雨が降らなくなり、とうとう（　　　　　）になってしまった。

　　　③ この辺りは（　　　　　）が軟らかいので、高いビルを建てるのは難しい。

(2)　┌─────────────┐
　　　│ ぼんやりと　はるか　一段と │
　　　└─────────────┘

　　　① 今月に入ってから、また（　　　　　）寒さが厳_{きび}しくなった。

　　　② 遠くの景色を（　　　　　）眺_{なが}めている。

　　　③ 海の（　　　　　）遠くに水平線が見える。

4 類義　　似た意味の言葉はどれですか。

＿＿＿の言葉に意味が近いほうを選びなさい。

(1)　ようやく梅雨_{つゆ}が明けた。（　始まった　終わった　）

(2)　外はもう薄暗くなっている。（　少し暗く　寒くて暗く　）

5 語形成　　接辞や複合語を覚えよう。

正しいものに○を付けなさい。

(1)　夜、停電で部屋が（　薄　真っ　明　）暗になった。

(2)　応援_{おうえん}していたチームが（　新　真　初　）優勝した。

Ⅲ. 実践練習 ≫

1. （　　）に入れるのに最もよいものを、1・2・3・4から一つ選びなさい。(2点×2)

1 次の会議では、この問題を（　　）上げようと思う。

　　1　取り　　　　　2　見　　　　　　3　持ち　　　　　4　話し

2 日本では、（　　）年度が四月から始まることが多い。

　　1　真　　　　　　2　新　　　　　　3　毎　　　　　　4　先

2. （　　）に入れるのに最もよいものを、1・2・3・4から一つ選びなさい。(2点×2)

1 突然の（　　）に遭って、服がぬれてしまった。

　　1　快晴　　　　　2　夕立　　　　　3　夕日　　　　　4　日差し

2 あの（　　）に登ると、町を見下ろすことができる。

　　1　谷　　　　　　2　岸　　　　　　3　湾　　　　　　4　丘

3. ＿＿＿の言葉に意味が最も近いものを、1・2・3・4から一つ選びなさい。(2点×2)

1 ここから頂上までは険しい坂が続いている。

　　1　危ない　　　　2　長い　　　　　3　暗い　　　　　4　急な

2 今年はリンゴがたくさん実った。

　　1　できた　　　　2　落ちた　　　　3　取られた　　　4　買った

4. 次の言葉の使い方として最もよいものを、1・2・3・4から一つ選びなさい。(4点×2)

1 凍える

　　1　冷凍した肉がよく凍えている。

　　2　ビールは凍えるほどよく冷やすとおいしい。

　　3　寒さで手が凍えてよく動かない。

　　4　水が凍えると氷になる。

2 ながめる

　　1　静かに海をながめながら、音楽を聞くのが好きだ。

　　2　遠くに知人の姿をながめたので、大きな声で呼んでみた。

　　3　部屋が真っ暗で、電気のスイッチがながめられない。

　　4　眼鏡がないと、新聞の字をながめることができないんです。

I. 言葉と例文 ≫

1 ウォーミングアップ

(1) あなたの国では何歳から何歳まで学校に行かなければなりませんか。

(2) 学校で、どの授業が一番好きでしたが。どの授業が一番嫌いでしたか。

2 言葉

---

1. 学校

① 小学校の**児童**

② 中学校／高校の**生徒**

③ 高校に**進学**する

④ 引っ越すので**転校**する

⑤ [ ]に**在学中**だ
  - ● **国立大学**―**私立大学**
  - ● **大学院**

⑥ [ ]を**取る**
  - ● **ゼミ**・**演習**
  - ● **単位**

⑦ **休講**なので**自習**する

⑧ 今**学期**の**時間割**をもらう

⑨ 一**時間目**の**科目**は国語だ

⑩ 私は小学校の**教師**・**教員**だ

⑪ 母は大学の**教授**だ

⑫ **講師**が授業を**担当**する・**受け持つ**

⑬ **教育実習**に**参加**する

▶**試験**

① **試験**を**採点**する

② **中間試験**／**期末試験**を**受ける**

③ **筆記試験**の**答案**を出す

④ **教科書**を**暗記**する

⑤ **問い**に**答える**

▶**成績**／**学力**

① **成績**／**学力**を**評価**する

② **成績**／**学力**が**優れている**

---

2. 学問

▶**自然科学**

① **物理学**／**化学**／**生物学**

▶**社会科学**

① **経済学**／**政治学**／**社会学**

▶**人文科学**

① **文学**／**哲学**／**言語学**

② **文学部英文学科**の学生

③ **英文学**を**専攻**する

▶**研究**

① **参考文献**を**引用**する

② **妥当**な方法で**実験**を**行う**

③ **結果**を**まとめる**

④ 新しい**説**を**証明**する

⑤ **論文**を書く

⑥ **学会**に出て**発表**する

---

3 語形成

(1) **今〜**　**今学期**　**今年度**

(2) **〜目**　**一時間目**　**三日目**　**五番目**

(3) **〜学**　**物理学**　**生物学**

(4) **〜学部／〜学科**　**文学部**　**英文学科**

(5) **参考〜**　**参考文献**　**参考書**

4 例文　副詞や副詞的表現と一緒に使った例文を見てみよう。

(1) **必死に**勉強したので、合格することができた。

(2) 今日は**ひとまず**、ここまでの意見をまとめておきましょう。

(3) 高橋教授の説は、**次第に**社会で認められていった。

(4) あの講師の授業は人気があるから、**めったに**聞くことができない。

Ⅱ．基本練習　≫

1 導入練習

Ⅰ. 言葉と例文の中から適当なものを（　　　）に入れて、文を完成させなさい。始め、または終わりの何文字かはヒントとして示してあります。

　私は今、大学の理学部生物（①がっ　　　　　）で生物学を研究している。生物学に興味を持ったのは、高校のときに生物を（②たん　　　　　）していた先生のおかげだ。私は理科が苦手で、あまり（③せい　　　　　）がよくなかったが、その先生は話が面白くて、説明も上手だったので、いつの間にか私も生物に興味を持ち始めた。

　高校三年生のとき、大学へ（④しん　　　　　）して生物学を研究したいと先生に相談したら、とても喜んでくれて、勉強を教えてくれた。合格したときも、とても喜んでくれた。本当に優しい先生だった。

　今は、（⑤じっ　　　　　）をしたり、レポートを（⑥　　　　　める）りして、とても忙しいが、楽しい毎日だ。来年の春、（⑦ろん　　　　　）を出したら、先生に会いに行こうと思っている。

---

2 連語 　語と語のつながりや使い方を覚えよう。

例のように適当な言葉を線で結びなさい。

(1)　試験を　・　　　・専攻する　　　(2)　意見を・　　・出る
　　　文献を　・　　　・取る　　　　　　　結論が・　　・上がる
　　　経済学を・　　　・採点する　　　　　学力が・　　・答える
　　　単位を　・　　　・引用する　　　　　問いに・　　・まとめる

3 意味 　基本的な意味を確認しよう。

の中から適当な言葉を選んで、（　　　）に入れなさい。

(1)　　| 証明　　自習　　実習 |

　　① 来月から、教育（　　　　　）が始まる。

　　② 私の考えが正しいことを（　　　　　）してみせます。

　　③ 授業が休講だったので、図書館で（　　　　　）した。

(2)　　| 必死に　　ひとまず　　めったに |

　　① まだアパートが決まらないので、（　　　　　）ホテルに滞在している。

　　② 彼は、（　　　　）学校へ来ないから、なかなか会えない。

　　③ 大学受験のときは、試験に合格するために毎日（　　　　）勉強した。

4 類義 　似た意味の言葉はどれですか。

＿＿＿の言葉に意味が近いほうを選びなさい。

(1)　私は、小学校で六年生のクラスを受け持っている。（　持ち上げて　担当して　）

(2)　試験の前に教科書を暗記する。（　覚える　書く　）

5 語形成 　接辞や複合語を覚えよう。

正しいものに○を付けなさい。

(1)　教科書がわからないときは、わかりやすい参考（　書　集　文　）を読む。

(2)　入学して一日（　目　手　中　）にテストがあった。

III. 実践練習 ≫

1. （　　　）に入れるのに最もよいものを、1・2・3・4から一つ選びなさい。(2点×2)

1 （　　　）学期は、十科目、授業を取った。

　　1　今　　　　　　　2　過　　　　　　　3　去　　　　　　　4　現

2 私は大学で言語（　　　）を専攻しています。

　　1　部　　　　　　　2　学　　　　　　　3　目　　　　　　　4　研究

2. （　　　）に入れるのに最もよいものを、1・2・3・4から一つ選びなさい。(2点×2)

1 山口先生の（　　　）の時間には、毎週、学生が自分の研究について発表する。

　　1　自習　　　　　　2　予習　　　　　　3　演習　　　　　　4　学習

2 学期末のレポートに、いろいろな文献（ぶんけん）を（　　　）した。

　　1　提出（ていしゅつ）　　2　引用　　　　　　3　配布　　　　　　4　発表

3. 　　　　　の言葉に意味が最も近いものを、1・2・3・4から一つ選びなさい。(2点×2)

1 田中さんは妥当（だとう）な選択（せんたく）をしたと思う。

　　1　当然の　　　　　2　適切な　　　　　3　間違った　　　　4　安全な

2 彼の成績は優れている。

　　1　よくない　　　　2　まあまあだ　　　3　とてもよい　　　4　いちばんよい

4. 次の言葉の使い方として最もよいものを、1・2・3・4から一つ選びなさい。(4点×2)

1 問い

　　1　この話が本当かどうかは問いだ。

　　2　増え続けるごみが大変な問いになっている。

　　3　わからないところがあったので、先生に問いした。

　　4　「人とは何か」という問いに答えることは難しい。

2 評価

　　1　外見だけで人を評価してはいけない。

　　2　あの店は安くておいしいと評価だ。

　　3　もう一度よく評価してから、答案を出そう。

　　4　彼女は、今世界中で評価の人だ。

Ⅰ. 言葉と例文 ≫

1 ウォーミングアップ

(1) 今、どんな仕事をしていますか。／将来、どんな仕事をしたいですか。

(2) あなたの国では、どんな仕事が人気がありますか。

2 言葉

---

1. 就職・仕事

▶就職	▶仕事
① 芸能界を目指す	① 仕事を怠ける―仕事に熱中する
② 夢を [　　　]	② 出張する
● 抱く	③ 休暇を申請する
● 追いかける	④ いい案を思いつく
● あきらめる	⑤ 会議で提案する
③ 就職活動をする	⑥ 慌ただしい一日だ
④ 希望にあてはまる会社を見つける	⑦ 仕事の能率がいい
⑤ 張り切って研修を受ける	⑧ 仕事を依頼する―引き受ける
⑥ 一流企業に入社する	⑨ 失業する
⑦ 高い月給をもらう	⑩ アルバイトでお金を稼ぐ
⑧ ボーナスが出る	⑪ 株でお金をもうける／がもうかる
	⑫ 破産する

---

2. 経営

① 会社を経営する	⑦ 会社がつぶれる
② 資本金を集める	⑧ [　　　] に就任する
③ 社員を募集する	● 管理職／重役／社長／副社長
④ 社員を雇う	⑨ 部下に仕事を指示する
⑤ 経営方針を決める	⑩ 部下の才能を認める
⑥ 損害を出す	

---

3. 労働運動

① 労働組合を組織する	③ 利害が対立する
② 労働条件の改善を要求する	④ 弁護士に依頼する

---

3 語形成

(1) ～界　芸能界　金融界

(2) 一流～　一流企業　一流校　一流大学

(3) 引き～　引き受ける　引き出す

(4) ～方針　経営方針　教育方針

(5) ～職　管理職　専門職　技術職

(6) ～士　弁護士　会計士

4 例文　副詞や副詞的表現と一緒に使った例文を見てみよう。

(1) 家族のために、毎日**せっせと**働いている。

(2) 一流大学を出ているからといって、**必ずしも**頭がいいとは限らない。

(3) **万一**会社がつぶれたら、どうしたらいいだろう。

(4) とてもいいアイデアを思いついたので、**早速**会議で提案した。

Ⅱ．基本練習 ≫

1 導入練習

Ⅰ．言葉と例文の中から適当なものを（　　　）に入れて、文を完成させなさい。始め、または終わりの何文字かはヒントとして示してあります。

　　私は五年前にこの会社に（①にゅ　　　　　）した。（②　　　　　かつどう）はとても大変で、何社も試験を受けてやっと受かった会社だ。（③いちりゅ　　　　　）ではないが、（④げっ　　　　　）は悪くない。

　　入社してから二か月間（⑤けん　　　　　）を受けて、仕事を教えてもらったが、初めはわからないことが多くて大変だった。とても忙しくて、帰るのが十二時を過ぎることもよくあった。

　　実は、もうすぐ会社を辞めて自分で会社を作る予定で、今は（⑥しほ　　　　　）を集めている。会社を（⑦けい　　　　　）するようになったら、もっと忙しくなるだろう。

---

2 連語　　語と語のつながりや使い方を覚えよう。

例のように適当な言葉を線で結びなさい。

(1)　お金が・　　　　・認める　　　(2)　夢を　　・　　　　・経営する

　　　利害が・　　　　・怠ける　　　　　　研修を　・　　　　・追いかける

　　　仕事を・　　　　・もうかる　　　　　会社を　・　　　　・思いつく

　　　才能を・　　　　・対立する　　　　　いい案を・　　　　・受ける

3 意味　　基本的な意味を確認しよう。

◻◻◻◻の中から適当な言葉を選んで、（　　　）に入れなさい。

(1)　◻ 改善　　組織　　利害 ◻

　　① 会社は、（　　　　　　）としてまとまっていなければならない。

　　② 彼は、いつも自分の（　　　　　　）ばかり考えている。

　　③ 高血圧を（　　　　　　）するために、まず食事に気を付けよう。

(2)　◻ 必ずしも　　万一　　せっせと ◻

　　① （　　　　　　）火事になったら、すぐに逃げてください。

　　② 新聞に載っていることが（　　　　　　）正しいとは言えないだろう。

　　③ 家を買うために毎月（　　　　　　）貯金している。

4 類義　　似た意味の言葉はどれですか。

＿＿＿の言葉に意味が近いほうを選びなさい。

(1)　子供のころは、大きな夢をいだいていた。（　あきらめて　持って　）

(2)　去年、彼は社長に就任した。（　やめた　なった　）

5 語形成　　接辞や複合語を覚えよう。

正しいものに○を付けなさい。

(1)　私の夢は弁護（　師　士　者　）になることです。

(2)　彼女は、どんな仕事でも（　引き　持ち　取り　）受けてくれる。

III. 実践練習 ≫

1. （　　）に入れるのに最もよいものを、1・2・3・4から一つ選びなさい。（2点×2）

1 管理（　　）になると、部下の指導もしなければならない。
　　1 士　　　　　　　2 人　　　　　　　3 職　　　　　　4 業

2 どんなに勉強しても、一流（　　）に入れる人は限られている。
　　1 校　　　　　　　2 社　　　　　　　3 店　　　　　　4 品

2. （　　）に入れるのに最もよいものを、1・2・3・4から一つ選びなさい。（2点×2）

1 彼女はぜいたくな生活を続けていたために（　　）しまった。
　　1 つぶれて　　　　2 怠けて　　　　　3 破産して　　　4 募集して

2 子供に好きなことをさせるのが、私たちの（　　）だ。
　　1 方向　　　　　　2 方針　　　　　　3 方角　　　　　4 方面

3. 　　　　の言葉に意味が最も近いものを、1・2・3・4から一つ選びなさい。（2点×2）

1 あわただしい毎日ですが、元気に過ごしています。
　　1 厚かましい　　　2 忙しい　　　　　3 つまらない　　4 そそっかしい

2 新しい仕事が始まったので、毎日、張り切っている。
　　1 安定して　　　　2 心配して　　　　3 頑張って　　　4 裏切って

4. 次の言葉の使い方として最もよいものを、1・2・3・4から一つ選びなさい。（4点×2）

1 損害
　　1 株で失敗して、大きな損害をした。
　　2 今月は買い物をしすぎたので、損害だ。
　　3 海外旅行に行ったとき、荷物が損害してしまった。
　　4 交通事故で受けた損害は大きかった。

2 あてはまる
　　1 少しやせたので、今までの服があてはまらない。
　　2 アルバイトで稼いだお金は、バイクを買うのにあてはまる。
　　3 このスーツの値段は、私の一か月の給料にあてはまる。
　　4 彼に対する注意は、そのまま私にもあてはまる。

Ⅰ. 言葉と例文 ≫

1 ウォーミングアップ

(1) ニュースを知りたいとき、新聞とテレビではどちらをよく利用しますか。

(2) それはどうしてですか。

2 言葉

---

1. 新聞・雑誌

① □□□□がニュースを報道する
  ● マスコミ／メディア
② 新聞に記事が載る
③ 記事のタイトルを見る
④ □□□□を取る
  ● 朝刊／夕刊
⑤ ジャーナリストが事件を取材する
⑥ 記者が情報を入手する
⑦ 新しい雑誌を発行する
⑧ 話題に上る
⑨ 世間の注目を浴びる

⑩ 新聞の□□□□を読む
  ● 見出し／一面
  ● 総合欄／政治欄／国際欄
⑪ □□□□内容を伝える
  ● 主な
  ● 適切な―不適切な
  ● 興味深い
  ● 詳しい・詳細な―大まかな
  ● 正確な―でたらめな
  ● 衝撃的な・ショッキングな

---

2. テレビ・ラジオ

① テレビ／ラジオ番組を□□□□
  ● 放送する・再放送する
  ● 制作する
② テレビ番組を撮影する
③ テレビで□□□□が流れる／を流す
  ● 宣伝・コマーシャル
  ● 映像／音声
④ 高い□□□□が掛かる
  ● 宣伝費・広告費
⑤ 有名人がインタビューを受ける

⑥ □□□□を見る
  ● 旅番組
  ● 娯楽番組
  ● クイズ番組
  ● ドラマ
⑦ それは□□□□番組だ
  ● 人気がある
  ● くだらない
⑧ そのドラマは評判がいい

3 語形成_{ごけいせい}

(1) 不〜_ふ　　不適切_{ふてきせつ}　不適当_{ふてきとう}　不可能_{ふかのう}

(2) 〜深い_{ぶか}　　興味深い_{きょうみぶか}　意義深い_{いぎぶか}

(3) 〜的_{てき}　　衝撃的_{しょうげきてき}　魅力的_{みりょくてき}　本格的_{ほんかくてき}

(4) 〜番組_{ばんぐみ}　　クイズ番組_{ばんぐみ}　深夜番組_{しんやばんぐみ}　スポーツ番組_{ばんぐみ}

(5) 〜費_ひ　　宣伝費_{せんでんひ}　制作費_{せいさくひ}

(6) 〜人_{じん}　　有名人_{ゆうめいじん}　著名人_{ちょめいじん}

4 例文_{れいぶん}　　副詞や副詞的表現と一緒に使った例文を見てみよう。_{ふくし　ふくしてきひょうげん　いっしょ　つか　れいぶん　み}

(1) 新聞の一面に、**近々**モンゴルの大統領が日本を訪問するという記事が出ていた。_{しんぶん　いちめん　ちかぢか　だいとうりょう　にほん　ほうもん　きじ　で}

(2) 就職活動のために、新聞の経済欄や政治欄を読んでみたら、**案外**面白かった。_{しゅうしょくかつどう　しんぶん　けいざいらん　せいじらん　よ　あんがいおもしろ}

(3) **自ら**は取材をせず、ネットで入手した情報を**そのまま**書いたような記事が最近は多い。_{みずか　しゅざい　にゅうしゅ　じょうほう　か　きじ　さいきん　おお}

(4) 動物たちの様子を**じっくり**一年間かけて撮影した番組だったので、すばらしかった。_{どうぶつ　ようす　いちねんかん　さつえい　ばんぐみ}

Ⅱ. 基本練習 ≫

1 導入練習

Ⅰ. 言葉と例文の中から適当なものを（　　　）に入れて、文を完成させなさい。始め、または終わりの何文字かはヒントとして示してあります。

　　テレビと新聞とどちらが優れた（①メディ　　　　　　）なのか聞かれたら、私は迷わず新聞のほうが優れていると言いたい。五十年以上前にテレビの（②ほう　　　　　）が始まったころは、テレビでニュースが（③な　　　　　る）ようになったら、誰_{だれ}も新聞など読まなくなるのではないかという意見があったが、実際にはそんなことにはならなかった。テレビは（④えい　　　　）を通じて、すぐにニュースを伝えることができる。しかし、（⑤　　　　　　しゃ）がきちんと（⑥しゅ　　　　　）をして記事という形にした新聞ほど詳細_{しょうさい}な情報が得られないことが多い。最近は、テレビのニュースの中で新聞の（⑦き　　　　　）がそのまま紹介されることもある。（⑧　　　　　しく）、そして（⑨せい　　　　　）に情報を得たいなら、新聞に勝る（⑩メディ　　　　　）はないだろう。

---

2 連語　語と語のつながりや使い方を覚えよう。

例のように適当な言葉を線で結びなさい。

(1) 朝刊を・　　　・載^のる　　　(2) 事件を　　　・　　　・受ける

　　音声が・　　　・取る　　　　　　広告費が　　　・　　　・取材する

　　記事が・　　　・上る　　　　　　インタビューを・　　　・浴びる

　　話題に・　　　・流れる　　　　　注目を　　　　・　　　・掛^かかる

3 意味　基本的な意味を確認しよう。

◯◯◯の中から適当な言葉を選んで、（　　　）に入れなさい。

(1) ┃大まか　　でたらめ　　衝撃的^{しょうげきてき}┃

　　① スポーツ番組で、試合の（　　　　　）な流れを説明していた。

　　② その記事はきちんとした取材に基づかず、（　　　　　）に書かれたものだ。

　　③ その事故のニュースは、驚きでしばらく言葉も出ないくらい（　　　　　）だった。

(2) ┃制作　　発行　　報道┃

　　① マスコミはその有名人の結婚のニュースを大きく（　　　　　）した。

　　② このドラマの（　　　　　）には、かなりのお金が必要だろう。

　　③ その雑誌は毎週月曜日に（　　　　　）される。

4 類義　似た意味の言葉はどれですか。

＿＿＿の言葉に意味が近いほうを選びなさい。

(1) 時間がなければ、記事の<u>見出し</u>を読むだけでもいい。（　コピー　タイトル　）

(2) <u>くだらない</u>番組はあまり子供に見せたくない。（　ばからしい　内容が難しい　）

5 語形成　接辞や複合語を覚えよう。

正しいものに◯を付けなさい。

(1) 彼の発言には（　非　否　不　）適切な表現があり、テレビでは放送されなかった。

(2) 著名（　人　者　方　）になると、マスコミにいろいろなことを報道されてしまうので大変だ。

Ⅲ. 実践練習 ≫

1. （　）に入れるのに最もよいものを、1・2・3・4から一つ選びなさい。（2点×2）

1 （　）正確な情報に基づいて、記事を書いてはならない。

　　1　非　　　　　　　2　否　　　　　　　3　不　　　　　　　4　無

2 今一番人気のある漫画がドラマ（　）された。

　　1　化　　　　　　　2　風　　　　　　　3　的　　　　　　　4　科

2. （　）に入れるのに最もよいものを、1・2・3・4から一つ選びなさい。（2点×2）

1 今朝は早起きしたので、時間をかけて（　）朝刊を読むことができた。

　　1　うっかり　　　2　そのまま　　　3　じっくり　　　4　がっかり

2 テレビ局で何かあったのか、さっきからずっと同じ映像を（　）いる。

　　1　再放送して　　　2　流して　　　3　載せて　　　4　報道して

3. ＿＿＿＿の言葉に意味が最も近いものを、1・2・3・4から一つ選びなさい。（2点×2）

1 番組と番組の間に入るコマーシャルが邪魔だ。

　　1　広告　　　　　　2　販売　　　　　　3　報道　　　　　　4　募集

2 その記者は、ある芸能人が近々離婚するという情報を入手した。

　　1　急に　　　　　　2　もうすぐ　　　　3　一瞬　　　　　　4　とうとう

4. 次の言葉の使い方として最もよいものを、1・2・3・4から一つ選びなさい。（4点×2）

1 興味深い

　　1　有名なジャーナリストの書いた興味深い記事を読んだ。
　　2　その娯楽番組は、いつも大笑いしてしまうほど興味深い。
　　3　お菓子の広告を見たら興味深くなって、つい買ってしまった。
　　4　見ている人を興味深くするような映像を撮らなければならない。

2 宣伝

　　1　映画の宣伝のために、その女優はインタビューを受けた。
　　2　取材した情報を一般の人々に宣伝するために、メディアはある。
　　3　この事件の詳細な宣伝は、午後のニュースでお伝えします。
　　4　その女優の離婚のニュースは世間の宣伝を集めている。

I. 言葉と例文 ≫

1 ウォーミングアップ

(1) いつもパソコンを使ってどんなことをしますか。

(2) パソコンを使っていて、何か問題が起こったことがありますか。

① 問題が起こったことがない。→普段、どんなことに気を付けていますか。

② 問題が起こったことがある。→それはどんな問題でしたか。そのときどうしましたか。

2 言葉

1. メール・文書作成	
① ファイルを ☐ ● 削除する・消去する ● 作成する ● コピーする ② メールを ☐ ● 送信する─受信する ● 送受信する ③ メールにファイルを添付する ④ 通信機能を使う	⑤ ☐ を変更する ● 設定 ● フォントの種類 ⑥ ☐ を挿入する ● 表／グラフ ⑦ 図を ☐ ● 拡大する─縮小する ⑧ 文書をプリントアウトする ⑨ データを保存する
2. インターネット	3. その他
① インターネットに接続する ② インターネットで検索する ③ 通信速度が速い ④ オンラインショッピングを楽しむ ⑤ ☐ を見る ● ホームページ・ウェブサイト ⑥ ウイルス対策をする ⑦ ソフトを ☐ ● ダウンロードする ● インストールする	① プログラムを ☐ ● 起動する・立ち上げる ● 再起動する ● 終了する ② パソコンを ☐ ● 操作する ● 修理に出す ③ 中古のパソコンを買う ④ パソコンのモニターが暗い

3 語形成

(1) **通信〜** **通信機能** 通信教育

(2) **〜機能** **通信機能** **印刷機能**

(3) **オンライン〜** **オンラインショッピング** **オンラインショップ** オンラインゲーム

(4) **〜対策** **ウイルス対策** **迷惑メール対策**

(5) **立ち〜** **立ち上げる** **立ち上がる**

(6) **〜上げる** **立ち上げる** 盛り上げる

(7) **再〜** **再起動** **再インストール**

4 例文 副詞や副詞的表現と一緒に使った例文を見てみよう。

(1) 保存をせずにプログラムを終了してしまい、入力したデータが**一瞬**で消えた。

(2) うちのパソコンより会社のパソコンのほうが、通信速度が**若干**速いようだ。

(3) インターネットで検索すれば、**今や**世界中の情報を調べられる。

II. 基本練習 ≫

1 導入練習

Ⅰ. 言葉と例文の中から適当なものを（　　　　）に入れて、文を完成させなさい。始め、または終わりの何文字かはヒントとして示してあります。

　　最近、私のうちのパソコンが壊れた。友人の名前で（①メー　　　　　　）が来たので、疑わずに（②　　　　　　んぷ）されていた（③ファ　　　　　　）を開けたところ、突然パソコンの（④モニ　　　　　　）に、怪しいウサギのアニメが現れた。その後は、ほかの（⑤ソ　　　　　　）を（⑥き　　　　　　）しようと思ってもまったくできなくなって、仕方なくパソコンを（⑦さいき　　　　　　）した。それでも、やっぱりウサギのアニメを消すことはできず、とうとうパソコンはどんな（⑧そう　　　　　　）も受け付けなくなってしまった。今まで、（⑨ウイ　　　　　　）にやられたことがなかったので、（⑩ウイ　　　　　　）対策の（⑪ソ　　　　　　）を自宅のパソコンには（⑫インス　　　　　　）していなかった。結局、パソコンは（⑬しゅう　　　　　　）に出すことになって、三週間はパソコンが使えない。（⑭しゅう　　　　　　）代のことも考えると、（⑮ウイ　　　　　　）対策の（⑯ソ　　　　　　）を（⑰インス　　　　　　）しておいたほうがはるかに安く済んだだろう。

---

2 連語　語と語のつながりや使い方を覚えよう。

例のように適当な言葉を線で結びなさい。

(1)　メールを　　　・　　　　　・起動する

　　　グラフを　　　・　　　　　・修理する

　　　プログラムを・　　　　　・挿入<ruby>挿入<rt>そうにゅう</rt></ruby>する

　　　モニターを　　・　　　　　・送受信する

3 意味　基本的な意味を確認しよう。

◻◻◻の中から適当な言葉を選んで、（　　　）に入れなさい。

(1)　| 削除<ruby>削除<rt>さくじょ</rt></ruby>　接続　検索<ruby>検索<rt>けんさく</rt></ruby> |

　　① インターネットに（　　　　　）できなくて、メールが見られなかった。

　　② 大切なファイルをうっかり（　　　　　）してしまった。

　　③ インターネットで（　　　　　）して、近くにあるいいレストランを見つけた。

(2)　| 一瞬<ruby>一瞬<rt>いっしゅん</rt></ruby>　若干　今や |

　　① パソコンは（　　　　　）仕事や生活に欠かせないものになっている。

　　② ソフトを再インストールしたら、前よりも（　　　　　）動作が速くなった。

　　③ 昔は時間が掛<ruby>掛<rt>か</rt></ruby>かったことも、インターネットを使えば（　　　　　）で調べられる。

4 類義　似た意味の言葉はどれですか。

＿＿＿の言葉に意味が近いほうを選びなさい。

(1)　レポートを<u>プリントアウト</u>しているときにインクがなくなった。（　印刷　編集　）

(2)　<u>フォント</u>を変えたら、見やすくなった。（　字の形　文書の種類　）

5 語形成　接辞や複合語を覚えよう。

正しいものに○を付けなさい。

(1)　私は（　コンピューター　パソコン　オンライン　）ショップでよく服を買う。

(2)　ウイルス対策<ruby>対策<rt>たいさく</rt></ruby>のソフトを（　新　再　最　）インストールした。

Ⅲ. 実践練習 ≫

1. （　　）に入れるのに最もよいものを、1・2・3・4から一つ選びなさい。(2点×2)

1 学校に通わずに、（　　）教育で勉強した。

　　1　通信　　　　　　2　パソコン　　　　3　家　　　　　　4　義務

2 パーティーを（　　）上げるために、おいしい料理を用意した。

　　1　作り　　　　　　2　盛り　　　　　　3　立ち　　　　　4　取り

2. （　　）に入れるのに最もよいものを、1・2・3・4から一つ選びなさい。(2点×2)

1 顔が暗く写っていたので、パソコンで少し写真を（　　）した。

　　1　変換　　　　　　2　修理　　　　　　3　修正　　　　　4　変更

2 小さすぎて見にくいところは、そのソフトを使えば三十倍まで（　　）できる。

　　1　広大　　　　　　2　拡大　　　　　　3　増大　　　　　4　増量

3. ＿＿＿＿＿の言葉に意味が最も近いものを、1・2・3・4から一つ選びなさい。(2点×2)

1 彼は机に向かうと、まず持っていたコンピューターを立ち上げた。

　　1　起動した　　　　2　開いた　　　　　3　操作した　　　4　接続した

2 週末にボランティアでお年寄りにパソコンの操作の仕方を教えている。

　　1　動かし方　　　　2　触り方　　　　　3　作り方　　　　4　仕事の仕方

4. 次の言葉の使い方として最もよいものを、1・2・3・4から一つ選びなさい。(4点×2)

1 設定

　　1　ウイルスを設定しないと、パソコンは使えるようにならない。

　　2　ソフトの設定を変えたら、急にパソコンが速くなった感じがする。

　　3　秋葉原でパソコンを設定に出したら、五万円も取られた。

　　4　あの店なら安くてよいパソコンが買えると設定して行ってみた。

2 消去

　　1　ずっとレポートを書いていたので、少し休んで疲れを消去することにした。

　　2　パソコンのモニターが汚れていたので、ふいて消去した。

　　3　インターネットでホテルの予約を消去しないと、高いお金を取られるよ。

　　4　パソコンを捨てるときには、中に残ったデータを消去しないと危ない。

I. 言葉と例文 ≫

1 ウォーミングアップ

(1) あなたの国では、結婚するとき、何をしますか。誰かが死んだときは何をしますか。

2 言葉

---

1. 年中行事

① **新年**を**祝う**
② **伝統的な行事**を**行う**

③ **神**や**仏**に [_____]
● **祈る・願う**

---

2. 冠婚葬祭

▶**出会い／結婚**

① **結婚相手**として**ふさわしい人**と**出会う**
② **交際**を**申し込む**
③ **結婚**の**申し込み**を [_____]
  ● **受ける・承諾する―断る**
④ **両親**を**説得**する
⑤ **親**が**子供**の**結婚**を**許す**
⑥ **家庭**を**築く**
⑦ **恋人**と**婚約する―婚約**を**解消**する
⑧ **既婚者**が**離婚**して**独身**に**戻る**
⑨ **正式**に [_____]
  ● **結婚する／発表する**
⑩ **結婚式**の**打ち合わせ**をする
⑪ **結婚**の**資金**を**ためる**
⑫ **手続き**を**済ませる**
⑬ [_____] を**結婚式**に**招待**する
  ● **親戚／同僚**
⑭ **花嫁**と**花婿**が**永遠**の**愛**を**誓う**
⑮ [_____] **結婚式**
  ● **豪華な／盛大な／華やかな**

▶**子供の成長・成人式**

① **子供**が [_____]
  ● **育つ・成長**する
② **父親・母親**の [_____] を**果たす**
  ● **役割・役目**
③ **四歳児**を [_____] に**預ける**
  ● **幼稚園・保育所**
④ **育児**に**奮闘**する
⑤ **ストレス**を [_____]
  ● **ためる―解消**する
⑥ **子供**が**成人**する→**成人式**

▶**葬式／法事**

① [_____] をする
  ● **葬式／法事**
② **葬儀費用**が**掛かる**
③ **先祖**の**墓**→**墓参り**をする
④ **墓地**に [_____]
  ● **眠る／埋める**
⑤ [_____] へ**行く**
  ● **天国―地獄**
⑥ **故人**となる
⑦ **友人**の**死**を [_____]
  ● **惜しむ／嘆く**

---

3 語形成

(1) ～的　　**伝統的　形式的**

(2) ～相手　　**結婚相手　相談相手　話し相手**

(3) ～込む　　**申し込む　払い込む**

(4) ～者　　**既婚者　独身者　未婚者**

(5) ～式　　**成人式　結婚式**

(6) ～児　　**四歳児　幼稚園児（園児）**

(7) ～園　　**幼稚園　動物園**

(8) ～所　　**保育所　託児所**

(9) ～費用　　**葬儀費用　出産費用**

4 例文　　副詞や副詞的表現と一緒に使った例文を見てみよう。

(1) 交際していた相手が外国人だったので、親に**なかなか**結婚を許してもらえなかった。

(2) 結婚式には**できるだけ**たくさんの親戚や友人を呼んで、盛大な式にしたいと思う。

(3) 両親にかわいがられ、太郎は**すくすく**と成長していった。

(4) 私は田舎で**のびのび**と育った。

II．基本練習 》》

1 導入練習

I．言葉と例文の中から適当なものを（　　　）に入れて、文を完成させなさい。始め、または終わりの何文字かはヒントとして示してあります。

　　私はできれば二十代のうちに結婚したい。結婚相手として（①　　　　　わしい）と思った人と、二年ぐらい真面目に（②こう　　　　　）して、ちゃんと両親の（③しょう　　　　　）を得て結婚するのが理想だ。父は私を大変かわいがっていて、あまり若いうちに結婚してほしくないと思っているようなので、どんな相手を連れてきても、父を（④せっ　　　　　）するのは難しいかもしれないけど、真面目で優しい人なら、私は結婚相手として十分だと思う。結婚式は、お金を掛けて、何百人も人を招待するような、（⑤　　　　　だいな）式ではなく、（⑥しん　　　　　）や子供のころからの友達に来てもらいたいと思う。子供も二人は欲しい。あまり厳しくしすぎないようにして、できるだけ自由に（⑦のび　　　　　）と育てたい。

---

2 連語　語と語のつながりや使い方を覚えよう。

例のように適当な言葉を線で結びなさい。

(1)　家庭を・　　　・行う　　　(2)　交際を　　・　　　・ためる

　　　法事を・　　　・祝う　　　　　ストレスを・　　　・済ませる

　　　新年を・　　　・果たす　　　　先生の死を・　　　・申し込む

　　　役割を・　　　・築く　　　　　手続きを　・　　　・惜_おしむ

3 意味　基本的な意味を確認しよう。

☐☐☐の中から適当な言葉を選んで、（　　　）に入れなさい。

(1)　豪華_{ごうか}　　盛大_{せいだい}　　華_{はな}やか

　　① 永遠の愛を誓_{ちか}いましたお二人にどうぞ（　　　　　　　）な拍手_{はくしゅ}をお願いいたします。

　　② パーティーで出された食事は、かなり（　　　　　　）でびっくりした。

　　③ 私は若いころ女優やモデルなどの（　　　　　）な職業にあこがれていた。

(2)　解消　　承諾_{しょうだく}　　成長

　　① 国の両親の（　　　　　　）が得られなければ、やはり結婚は無理だろう。

　　② 浮気をしていることがわかったので、婚約を（　　　　　）した。

　　③ 母親の愛情を受けて、子供はすくすくと（　　　　　）した。

4 類義　似た意味の言葉はどれですか。

＿＿＿＿の言葉に意味が近いほうを選びなさい。

(1)　子供を育てるために、毎日奮闘_{ふんとう}している。（　怒_{おこ}って　頑張_{がんば}って　）

(2)　彼は親しかった友人の死をとても嘆_{なげ}いていた。（　悲しんで　後悔_{こうかい}して　）

5 語形成　接辞や複合語を覚えよう。

正しいものに○を付けなさい。

(1)　結婚式場に費用を払い（　済んだ　込んだ　戻した　）のに、二人は別れてしまった。

(2)　この地方では伝統_{でんとう}（　流　式　的　）に、新年にその料理を食べる。

Ⅲ. 実践練習 ≫

1. （　　）に入れるのに最もよいものを、1・2・3・4から一つ選びなさい。(2点×2)

1 日本では成人（　　）は毎年一月に行われるところが多い。
　　1　会　　　　　　　2　祭　　　　　　　3　式　　　　　　　4　大会

2 母はいつも私の相談（　　）になってくれる。
　　1　仲間　　　　　　2　相手　　　　　　3　人　　　　　　　4　方

2. （　　）に入れるのに最もよいものを、1・2・3・4から一つ選びなさい。(2点×2)

1 広い式場で、コートとかばんを（　　）ところがわからず、困ってしまった。
　　1　預ける　　　　　2　備える　　　　　3　願う　　　　　　4　ためる

2 子供を（　　）つもりはないので、悪いことをしたときはきちんとしかります。
　　1　甘やかす　　　　2　かわいがる　　　3　育てる　　　　　4　愛する

3. ＿＿＿＿の言葉に意味が最も近いものを、1・2・3・4から一つ選びなさい。(2点×2)

1 子供が大学を卒業して社会人になったので、親の役目も終わりだ。
　　1　愛情　　　　　　2　仕事　　　　　　3　教育　　　　　　4　管理

2 皆様にお集まりいただいて、故人もきっと喜んでいると思います。
　　1　親しい人　　　　2　昔の人　　　　　3　死んだ人　　　　4　年を取った人

4. 次の言葉の使い方として最もよいものを、1・2・3・4から一つ選びなさい。(4点×2)

1 ためる

　　1　何でも経験をためさせることで、子供は育つ。

　　2　子供を保育園にためることができるようになったので、仕事をまた始めた。

　　3　死んだ父の骨は、田舎（いなか）のお墓（はか）にためることにした。

　　4　父親が病気で倒れたという知らせを聞いて、彼女は目に涙をためていた。

2 打ち合わせ

　　1　子供の将来について、父親と母親はよく打ち合わせをしたようだ。

　　2　二人は打ち合わせをしたかのように、まったく同じ服を着ていた。

　　3　年内の仕事がすべて終わったので、同僚（どうりょう）とささやかな打ち合わせをした。

　　4　彼からの打ち合わせを受け入れて、私は結婚することにした。

Ⅰ. 言葉と例文　≫

1 ウォーミングアップ

(1) 最近、どんな事件や事故がありましたか。

(2) あなたの住んでいるところは、台風が来たり地震が起こったりしますか。

2 言葉

1. 事件

① 殺人事件が起きる	⑥ □□□□の被害に遭う
② 警察が犯人を □□□□	● 盗難／詐欺
● 逮捕する・捕まえる	⑦ 罪を犯す
③ 犯人が捕まる	⑧ 行方がわからなくなる
④ 強盗が金を奪って逃げる	⑨ 警察が現場を捜査する
⑤ 一人暮らしのお年寄りを □□□□	⑩ 事件の証拠が見つかる
● ねらう／殺す	⑪ 防犯対策を強化する
	⑫ 犯罪防止に努める

2. 事故

① 交通事故に遭う	④ 車が交差点に差しかかる
② 子供が急に道路に飛び出す	⑤ バイクと車が衝突する
③ スピード違反を取り締まる	⑥ 保険を掛ける→保険金

3. 災害

① 災害が発生する	⑧ 安全な場所へ避難する
② 災害に備える	⑨ 大地震の被災者を □□□□
③ 台風のため住民に警戒を呼びかける	● 救済する
④ 大雨洪水警報が出る	● 保護する
⑤ 土砂崩れが起きる	⑩ 必要な食糧を確保する
⑥ 大雨で河川がはんらんする	⑪ 停電は数時間後に復旧した
⑦ 火山が噴火する	

3 語形成

(1) ～事件　殺人事件　強盗事件
(2) ～対策　防犯対策　防災対策
(3) ～防止　犯罪防止　再発防止　事故防止
(4) ～事故　交通事故　死亡事故
(5) 飛び～　飛び出す　飛び込む
(6) ～違反　スピード違反　駐車違反
(7) 取り～　取り締まる　取り押さえる
(8) 差し～　差しかかる　差し押さえる
(9) ～警報　大雨洪水警報　津波警報
(10) ～崩れ　土砂崩れ　がけ崩れ
(11) 被災～　被災者　被災地

4 例文　　副詞や副詞的表現と一緒に使った例文を見てみよう。

(1) 証拠がこれだけあるのだから、犯人が逮捕される日も**そう**遠くないだろう。
(2) 警察は防犯対策を強化しているが、お年寄りをねらった犯罪は**依然（として）**減らない。
(3) **まさか**子供が急に飛び出してくるなんて、そのときには思わなかったんです。
(4) 記録的な大雨により、そのがけは**非常に**土砂崩れが起きやすい状態になっていた。
(5) 大地震の被災者救済のため、日本から医師団を**直ちに**派遣すべきだ。

II. 基本練習 ≫

1 導入練習

I. 言葉と例文の中から適当なものを（　　　）に入れて、文を完成させなさい。始め、または終わりの何文字かはヒントとして示してあります。

　日本ではお年寄りの数が増えているが、そのお年寄りを（①　　　　　らった）事件も増えているし、お年寄りが事故に（②あ　　　　　）ことも増えている。都会では、一人暮らしのお年寄りをだまして高いものを買わせたり、お金を（③　　　　　ばった）りする（④さ　　　　　）事件が毎日のように起こっている。さらに、（⑤ゆ　　　　　）がわからない百歳以上のお年寄りが少なからずいることが明らかになっている。こうした事件や事故の（⑥さ　　　　　ぼうし）に努め、お年寄りが安心して暮らせるようにすることが、社会に今必要なことなのではないだろうか。

---

2 連語　語と語のつながりや使い方を覚えよう。

例のように適当な言葉を線で結びなさい。

(1)　大雨洪水警報が・　　　　・はんらんする　　(2)　災害に　　　・　　　・犯す

　　　火山が　　　　　・　　　・起きる　　　　　　　犯罪防止に・　　　・努める

　　　河川が　　　　　・　　　・噴火する　　　　　　罪を　　　　・　　　・備える

　　　土砂崩れが　　　・　　　・出される　　　　　　犯罪対策を・　　　・強化する

3 意味　基本的な意味を確認しよう。

　□□□の中から適当な言葉を選んで、（　　　）に入れなさい。

(1)　| まさか　　　直ちに　　　そう |

　　① この建物は丈夫だから、災害が起きても（　　　　　　）簡単には壊れない。

　　② ここは危険なので、（　　　　　　）安全な場所へ避難してください。

　　③ （　　　　　　）あの人が犯人だったなんて、思いもつきませんでした。

(2)　| 被害　　　確保　　　保護 |

　　① 津波の（　　　　　　）に遭った住民を救済するために、国がお金を出すそうだ。

　　② 被災地に送る医師を（　　　　　　）できなかったので、医師の人数が足りない。

　　③ 事故で壊れた車の中にいた子供二人が（　　　　　　）された。

4 類義　似た意味の言葉はどれですか。

　＿＿＿の言葉に意味が近いほうを選びなさい。

(1)　警察は犯人が勤めていた会社も捜査した。（　調べた　　訪れた　）

(2)　大地震の後、被災地では食糧が不足している。（　食べ物　　食欲　）

5 語形成　接辞や複合語を覚えよう。

正しいものに○を付けなさい。

(1)　五人の警官によって犯人が（　飛び　取り　差し　）押さえられた。

(2)　死亡（　事件　事故　運転　）の場合は、保険金が一千万円出る。

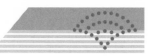
Ⅲ．実践練習 ≫

1. （　　）に入れるのに最もよいものを、1・2・3・4から一つ選びなさい。(2点×2)

1 最近、駐車違反の（　　）締_しまりが強化されている。

 1　指し   2　追い   3　差し   4　取り

2 その男性は、電車が来たとき、突然線路に（　　）込んだという。

 1　入り   2　落ち   3　飛び   4　掛_かけ

2. （　　）に入れるのに最もよいものを、1・2・3・4から一つ選びなさい。(2点×2)

1 この国では、交通事故の数が（　　）として減らない。

 1　依然   2　じっくり   3　若干   4　なかなか

2 犯人は、いきなり女性のかばんを（　　）と、走って逃げていったという。

 1　奪_{うば}う   2　だます   3　ねらう   4　捕まる

3. ＿＿＿＿の言葉に意味が最も近いものを、1・2・3・4から一つ選びなさい。(2点×2)

1 停電がようやく復旧した。

 1　止まった 2　直された 3　元の状態_{じょうたい}に戻った 4　終わった

2 二台の自動車が正面から衝突_{しょうとつ}した。

 1　ついた   2　ぶつかった   3　とまった   4　かさなった

4. 次の言葉の使い方として最もよいものを、1・2・3・4から一つ選びなさい。(4点×2)

1 行方

 1　交番で病院までの行方を教えてもらった。

 2　いなくなった妻の行方を捜してほしいという連絡が警察に入った。

 3　今度の旅行の行方は京都だ。

 4　息子の婚約者にはまだ会ったことがなく、詳_{くわ}しい行方はよく知らない。

2 差しかかる

 1　天井_{てんじょう}にある窓から日光が差しかかっている。

 2　犯人は突然女性に差しかかったので、女性は手にけがをしてしまったという。

 3　万が一災害_{さいがい}が差しかかったときに備えて、水や食糧_{しょくりょう}を買っておいた。

 4　カーブに差しかかったところで、車は急にスピードを落とした。

Ⅰ. 言葉と例文 ≫

1 ウォーミングアップ

(1) あなたの国の主な産業は何ですか。

(2) 今、あなたの国の景気はどうですか。あなたの国の経済状況について説明してください。

2 言葉

1. 経済	
① □□□□が起こる ● 経済危機／金融危機	⑪ 料金を支払う→支払い
② 世界的な不景気が続く	⑫ 銀行に預金する
③ 国内の景気が回復する	⑬ 郵便局に貯金する
④ 無駄なコストを削減する	⑭ 将来のために貯蓄する
⑤ □□□□が毎年上昇する ● 物価／価格	⑮ 銀行口座から現金を引き出す
⑥ 石油／土地が□□□□ ● 値上がりする―値下がりする	⑯ □□□□を返済する ● 借金／ローン
⑦ 会社の経営が□□□□に転じる ● 赤字―黒字	⑰ 定期預金に□□□□が付く ● 利子・利息
⑧ 外国企業と取引する→取引先	⑱ 資産を増やす
⑨ 株式に投資する	⑲ 納税の義務を負う
⑩ 毎月の□□□□が増える ● 収入／給料	⑳ □□□□を納める ● 税金・税
	㉑ 負担を□□□□ ● かける／強いる

2. 産業	
▶工業	⑤ エネルギー資源の需要が高まる
① □□□□を輸送する ● 原油・石油・天然ガス	▶農業
② 発電所が安定した電力を供給する	① 田や畑で農作業をする→農業
③ 製造技術が向上する	② 土を耕し、畑に種をまく
④ 大手自動車メーカーの部品を製作する	③ 作物を市場へ出荷する
	④ 米の供給が不足する

3 語形成

(1) ～危機　経済危機　金融危機

(2) 値～　値上がり　値上げ

(3) ～先　取引先　得意先

(4) ～預金　定期預金　普通預金

(5) ～メーカー　大手自動車メーカー　電機メーカー

(6) ～資源　エネルギー資源　天然資源

4 例文　副詞や副詞的表現と一緒に使った例文を見てみよう。

(1) 経済対策の効果で**いったん**は売り上げが黒字に転じたが、また赤字になってしまった。

(2) 金融機関からお金が借りられなければ、**恐らく**会社はつぶれるだろう。

(3) ビールは**なんと**価格の約46％が税金だ。

(4) オーストラリアは天然資源に恵まれた国だが、その資源を**主に**日本に輸出している。

(5) 農作業は**決して**楽な仕事ではなく、都会の人が**いきなり**やろうとしても難しい。

Ⅱ．基本練習 ≫

1 導入練習

Ⅰ．言葉と例文の中から適当なものを（　　　）に入れて、文を完成させなさい。始め、または終わりの何文字かはヒントとして示してあります。

> 　日本では1990年代以降、ずっと（①ふけ　　　　　　　）が続いている。国はさまざまな（②きん　　　　　　）政策や（③けい　　　　　　）対策によって、景気を（④かい　　　　　　）させようとしているが、どうもうまくいかないようだ。大手自動車メーカーなどは日本では（⑤しじょ　　　　　　）も限られていることから，どんどん工場を海外に移している。そのため（⑥おられる）（⑦　　　　　きん）も減っている。政府は、国の（⑧しゅう　　　　　　）の不足を、消費税を上げることで何とかしようしているが、（⑨ふた　　　　　　）を（⑩し　　　　られる）国民の反対は強い。

2 連語　　語と語のつながりや使い方を覚えよう。

例のように適当な言葉を線で結びなさい。

(1) 物価が・　　　・付く　　　　(2) コストを・　　　・製作する

　　景気が・　　　・向上する　　　　現金を　・　　　・引き出す

　　利息が・　　　・回復する　　　　土を　　・　　　・削減する

　　技術が・　　　・上昇する　　　　部品を　・　　　・耕す

3 意味　　基本的な意味を確認しよう。

　□□□□の中から適当な言葉を選んで、（　　　）に入れなさい。

(1) | 資産　　納税（のうぜい）　　ローン |

　　① 国民には（　　　　　）の義務（ぎ む）がある。

　　② マンションを買うために三十五年の（　　　　　）を組んだ。

　　③ 老後の生活のために、（　　　　　）を少しでも増やそうとして、投資に手を出した。

(2) | いったん　　主に　　決して |

　　① 返済できないような借金は（　　　　　）してはいけない。

　　② 石油の価格は（　　　　　）下がったが、また高くなった。

　　③ この地方では（　　　　　）米が作られている。

4 類義　　似た意味の言葉はどれですか。

　＿＿＿の言葉に意味が近いほうを選びなさい。

(1) その船は天然ガスを<u>輸送</u>するための船です。（　送る　　運ぶ　）

(2) 銀行口座からお金を<u>引き出した</u>。（　取り出した　　下ろした　）

5 語形成　　接辞や複合語を覚えよう。

正しいものに○を付けなさい。

(1) 取引（　者　　先　　社　）と協力する。

(2) 彼は世界（　観　　的　　級　）に有名な企業家（き ぎょう か）だ。

Ⅲ. 実践練習 ≫

1. （　　）に入れるのに最もよいものを、1・2・3・4から一つ選びなさい。(2点×2)

1 この町には大きな発電（　　）がある。

　　1 所　　　　　　　2 場　　　　　　　3 局　　　　　　　4 地

2 たばこが大幅に（　　）上がりしたので、禁煙する人が増えた 。

　　1 料金　　　　　　2 価格　　　　　　3 値　　　　　　　4 物価

2. （　　）に入れるのに最もよいものを、1・2・3・4から一つ選びなさい。(2点×2)

1 彼は経営の全責任を（　　）立場にある。

　　1 抱く　　　　　　2 負う　　　　　　3 掛ける　　　　　4 積む

2 経済対策として各地で工事が行われ、建設機械の需要が（　　）。

　　1 向上している　　2 転じている　　　3 進んでいる　　　4 高まっている

3. _____ の言葉に意味が最も近いものを、1・2・3・4から一つ選びなさい。(2点×2)

1 期限までに授業料を納めないと、退学になってしまう。

　　1 借り　　　　　　2 下ろさ　　　　　3 払わ　　　　　　4 もらわ

2 景気が回復するまでは、投資は控え、収入はすべて貯蓄に回そうと思う。

　　1 変化する　　　　2 取り戻す　　　　3 復活する　　　　4 よい状態に戻る

4. 次の言葉の使い方として最もよいものを、1・2・3・4から一つ選びなさい。(4点×2)

1 製造

　　1 彼女は子供向けのお菓子を製造するメーカーに勤めている。

　　2 料理学校に行っているだけあって、彼の製造した料理はすばらしい。

　　3 六十歳を過ぎたら、うちで陶器を製造するのを趣味にしたいと思う。

　　4 畑に種をまき、野菜を自分の手で製造する仕事に就きたい。

2 取引

　　1 その市ではごみを十二種類に分けて捨てる取引が行われている。

　　2 入学金が払えず、合格が取引になった。

　　3 心温まる動物の親子の取引をその映画では見られる。

　　4 彼は株の取引で大分もうけたようだ。

I. 言葉と例文 ≫

1 ウォーミングアップ

(1) 最近、政治に関してどんなことが話題になっていますか。

(2) あなたの好きな歴史上の人物について説明してください。

2 言葉

---

1. 政治

① ［　　　　］が演説する
- 内閣総理大臣／首相／大統領
- 外相／財務相

② 両国の大臣／首脳が［　　　　］
- 交渉する／会談する／合意する

③ 援助活動を国際連合が行う→国連

④ 財務省が次年度の予算案を作成した

⑤ 政府が財政的な課題に取り組む
→取り組み

⑥ 他国と条約を結ぶ

⑦ 制度を［　　　　］
- 見直す／改める

▶国会

① 国会で野党が与党を批判する

② ［　　　　］政策について議論する
- 外交／公共

③ 選挙の投票に行く

---

2. 法律

① 法律を定める

② 憲法を改正する

③ 住民団体が被害を訴える

④ 法廷で争う

⑤ 裁判で証言する

---

3. 歴史

① 七世紀ごろに国家が統一された

② 国が［　　　　］
- 栄える―滅びる
- 独立する
- 混乱する

③ 革命が起きる

④ 植民地として支配される

⑤ 偉大な［　　　　］が現れる
- 人物／英雄

⑥ ［　　　　］が政治の権力を握る
- 貴族／武士／天皇

⑦ 新大陸が発見される

⑧ 庶民の文化が発展する

---

3 語形成

(1) 〜大臣　内閣総理大臣　外務大臣

(2) 〜相　外相　財務相　農水相

(3) 〜活動　援助活動　選挙活動

(4) 〜連合　国際連合　欧州連合

(5) 〜省　財務省　外務省　文部科学省

(6) 〜年度　次年度　今年度

(7) 〜案　予算案　改正案

(8) 〜政策　外交政策　経済政策

(9) 〜団体　住民団体　地方公共団体

(10) 〜世紀　七世紀　半世紀

(11) 新〜　新大陸　新時代

4 例文　副詞や副詞的表現と一緒に使った例文を見てみよう。

(1) 不正には**一切**かかわっていないと、総理は記者会見で述べた。

(2) 選挙になんか行ったって、**どうせ**与党が勝つに決まっている。

(3) 五世紀から八世紀の**ほぼ**三百年間、その国は栄えた。

Ⅱ．基本練習 ≫

1 導入練習

Ⅰ. 言葉と例文の中から適当なものを（　　　　）に入れて、文を完成させなさい。始めの何文字かはヒントとして示してあります。

> 日本の（①こっ　　　　　）が（②とう　　　　　　　）された時期についてさまざまな（③ぎろ　　　　）があるが、だいたい三〜七（④せい　　　　　　）だとされている。日本で最初の税の（⑤せい　　　　　）や（⑥けん　　　　　）も、そのころ（⑦さだ　　　　　れて）いる。それ以後日本は（⑧　　　　みんち）として、外国から（⑨しは　　　　　　　）されたことがない。最初、天皇を中心とした国として始まり，そのころから今まで ずっと天皇は存在しているが、実際には（⑩　　　　ぞく）や武士などが（⑪　　　　　　りょく）を握っていた時代が長かった。

2 連語　語と語のつながりや使い方を覚えよう。

例のように適当な言葉を線で結びなさい。

(1)　文化が　　・　　　　　・結ぶ　　　　　(2)　国が　・　　　　・改正される

　　権力を　　・　　　　　・行う　　　　　　　英雄が・　　　　・現れる

　　条約を　　・　　　　　・握る　　　　　　　法律が・　　　　・起きる

　　援助活動を・　　　　　・発展する　　　　　革命が・　　　　・滅びる

3 意味　基本的な意味を確認しよう。

□□□の中から適当な言葉を選んで、（　　　　）に入れなさい。

(1)　| 演説　　会談　　証言 |

　① 久しぶりに日本とアメリカの首脳（　　　　　　　）が行われる。

　② 今度の選挙に出ているその候補者の（　　　　　　　）はなかなかよかった。

　③ その事件を見ていた私は、裁判で（　　　　　　）することになった。

(2)　| 一切　　どうせ　　ほぼ |

　①（　　　　　　）野党だから何もできないと思うのは間違いだ。

　② 議論の結果、経済政策に関する方針が（　　　　　）決まった。

　③ 大臣は演説の中で、財政的な課題への取り組みについて（　　　　　）触れなかった。

4 類義　似た意味の言葉はどれですか。

＿＿＿の言葉に意味が近いほうを選びなさい。

(1)　ダムの建設計画の見直しが行われた。（　再検討　再検査　）

(2)　両国の交渉は失敗に終わった。（　話し合い　言い合い　）

5 語形成　接辞や複合語を覚えよう。

正しいものに○を付けなさい。

(1)　大学を作るには文部科学（　局　省　庁　）の許可が必要だ。

(2)　来年度の予算（　案　面　化　）について、国会で議論が行われている。

Ⅲ. 実践練習 ≫

1. （　　）に入れるのに最もよいものを、1・2・3・4から一つ選びなさい。(2点×2)

1 日本はその国にとって最大の援助（　　）だ。

　　1　国　　　　　　　2　国家　　　　　　3　団体　　　　　　4　額

2 市や県は地方公共（　　）の一つだ。

　　1　組織　　　　　　2　集会　　　　　　3　集団　　　　　　4　団体

2. （　　）に入れるのに最もよいものを、1・2・3・4から一つ選びなさい。(2点×2)

1 今の制度を（　　）なければ、その問題は解決できないだろう。

　　1　設定し　　　　　2　治さ　　　　　　3　定め　　　　　　4　改め

2 この国では政府に反対する運動が起こり、（　　）が続いている。

　　1　混乱　　　　　　2　独立　　　　　　3　支配　　　　　　4　災害

3. 　　　　の言葉に意味が最も近いものを、1・2・3・4から一つ選びなさい。(2点×2)

1 その偉大な王によって国家が統一された。

　　1　まぜられた　　　2　まとめられた　　3　まもられた　　　4　まるめられた

2 自然保護を訴える市民の声を無視して、工場を建設するわけにはいかない。

　　1　熱心に考える　　2　強く主張する　　3　広く知らせる　　4　正しく伝える

4. 次の言葉の使い方として最もよいものを、1・2・3・4から一つ選びなさい。(4点×2)

1 合意

　　1　私は大臣の意見にまったく合意です。

　　2　親の合意がなければ、中学生は携帯電話が買えない。

　　3　考え方が合意したので、彼らは新しい党を作った。

　　4　議論の末、与党と野党は合意に至った。

2 援助

　　1　自然破壊によって住む場を失った動物たちを援助する活動をしている。

　　2　我が国の高速道路は日本政府の援助で造られた。

　　3　副大臣が大臣を常に援助することになっている。

　　4　地震で崩れた建物の下にいる人々を援助するために、犬が使われている。

I. 言葉と例文 ≫

1 ウォーミングアップ

(1)　身近な環境問題について一例を挙げてください。

　　例　空気が汚れている、川にごみが捨てられている、など

(2)　環境を守るために、あなたの身近なところではどんな取り組みが行われていますか。

2 言葉

1. 環境問題

① 環境保護に取り組む
② 地球温暖化が起きる
③ 気候が変動する・気候変動が起こる
④ □□□が進む
　● 温暖化・砂漠化
⑤ 二酸化炭素の排出量を制限する
⑥ 有害な物質が出る
⑦ 自然環境に□□□
　● 影響を及ぼす／が及ぶ
⑧ 自然破壊の現状を知る

⑨ ごみを回収する
⑩ □□□をリサイクルする
　● ペットボトル
　● 古新聞／牛乳パック
　● 瓶／缶
⑪ 大気が汚染される
⑫ 深刻な□□□問題を解決する
　● 公害／騒音／大気汚染
⑬ 下水道を整備する

2. 自然

▶動物
① 動物が□□□
　● 繁殖する―絶滅する
② ライオンが獲物を襲う
③ 豚がえさに群がる
④ 羊が群れで行動する
⑤ 小屋で鶏を飼育する
⑥ クマが人に危害を加える
⑦ ヒヨコの雄と雌を見分ける
⑧ 子牛が一頭生まれる

⑨ 昆虫を観察する
▶植物
① 庭に木を植える
② 畑で作物を栽培する
③ 植物の品種を調べる
④ 種が発芽する
⑤ 茎が伸びる
⑥ つぼみが膨らむ
⑦ 桜が開花する
⑧ 春になると杉の花粉が飛ぶ

3 語形成

(1) 〜保護　環境保護　自然保護

(2) 取り〜　取り組む　取り入れる

(3) 〜化　地球温暖化　深刻化

(4) 〜量　排出量　産出量

(5) 〜破壊　自然破壊　環境破壊

(6) 古〜　古新聞　古雑誌

(7) 〜パック　牛乳パック　紙パック

(8) 見〜　見分ける　見誤る

(9) 子〜　子牛　子ウサギ

4 例文　副詞や副詞的表現と一緒に使った例文を見てみよう。

(1) 母豚は一晩中苦しそうに横になっていたが、翌朝、**ついに**子豚が生まれた。

(2) 工場から出た有害な物質によって**徐々に**汚染が進み、自然が破壊されていった。

(3) ペットボトルのリサイクルには、**思いのほか**コストが掛かることがわかってきた。

Ⅱ. 基本練習 ≫

1 導入練習

Ⅰ. **言葉と例文**の中から適当なものを（　　　）に入れて、文を完成させなさい。始め、または終わりの何文字かはヒントとして示してあります。

> 　近年、（①ちきゅう　　　　　）現象が進み、気候の（②　　　　どう）に関する問題も深刻化して、日本でも政府や企業が（③かん　　　　ご）に取り組んでいる。身近なものでは、ごみの（④リサ　　　　）がある。（⑤ペット　　　　）や（⑥ぎゅうにゅう　　　　）、（⑦び　　　　）や缶などは、スーパーでも（⑧　　　　しゅう）している。世界的にも二酸化炭素の（⑨　　　　つりょう）を（⑩せい　　　　）しようとする動きがあるが、今後はさらに多くの国々が、自然破壊の（⑪げん　　　　）を踏まえて、対策に取り組んでいかなければならない。

2 連語　　語と語のつながりや使い方を覚えよう。

例のように適当な言葉を線で結びなさい。

(1)　豚を　　　・　　　　　・植える　　　　(2)　えさを・　　　　　・襲う

　　　木を　　　・　　　　　・飛ぶ　　　　　　　危害を・　　　　　・加える

　　　花粉が　　・　　　　　・膨らむ　　　　　　問題を・　　　　　・やる

　　　つぼみが・　　　　　　・飼育する　　　　　獲物を・　　　　　・解決する

3 意味　　基本的な意味を確認しよう。

☐☐☐の中から適当な言葉を選んで、（　　　　　）に入れなさい。

(1)　| 整備　　公害　　騒音 |

　　① 工場から出る（　　　　　　）がひどく、話が聞こえなかった。

　　② 高度経済成長期には（　　　　　　）が深刻な問題となった。

　　③ 道路が（　　　　　　）されて、とても便利になった。

(2)　| ついに　　思いのほか　　徐々に |

　　① その問題は今すぐ解決できないが、（　　　　　　）改善していくことなら可能だ。

　　② 野菜の栽培は簡単だと思っていたが、（　　　　　　）難しかった。

　　③ その動物は最後の一匹が死んで、（　　　　　　）絶滅してしまった。

4 類義　　似た意味の言葉はどれですか。

＿＿＿の言葉に意味が近いほうを選びなさい。

(1)　犬が羊の群れを追いかけていた。（　後ろ　　グループ　）

(2)　その島はある鳥の繁殖地として有名だ。（　生まれて増える　　多くが住む　）

5 語形成　　接辞や複合語を覚えよう。

正しいものに〇を付けなさい。

(1)　（　旧　古　再　）新聞は集めてリサイクルに出している。

(2)　その法律は新しい環境保護の考え方を（　取り　受け　投げ　）入れていた。

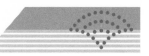

/20点

Ⅲ. 実践練習 ≫

1. （　　）に入れるのに最もよいものを、1・2・3・4から一つ選びなさい。(2点×2)

1 大雨の影響（えいきょう）で土砂（　　）が起きた。
　　1 破壊（はかい）　　　2 変動　　　　　3 危害　　　　　4 崩れ（くず）

2 その国では大気汚染（たいきおせん）の問題が深刻（　　）していた。
　　1 用　　　　　　　2 的　　　　　　3 風　　　　　　4 化

2. （　　）に入れるのに最もよいものを、1・2・3・4から一つ選びなさい。(2点×2)

1 日が当たらないところに置いたので、茎（くき）ばかり（　　）、花が咲かなかった。
　　1 発芽（はつが）して　　2 伸びて　　　3 生えて　　　　4 張って

2 温暖化によって、地球の気候が（　　）していると言われている。
　　1 改正　　　　　　2 変動　　　　　3 解消　　　　　4 変更

3. 　　　　の言葉に意味が最も近いものを、1・2・3・4から一つ選びなさい。(2点×2)

1 山田家で作られた作物はどれも評判がよく、よく売れた。
　　1 肉・卵　　　　2 野菜・米　　　3 皿・茶碗（ちゃわん）　　4 いす・机

2 その二つのキノコを見分けるのは難しいので、食べないほうがいい。
　　1 区別する　　　2 差別する　　　3 分別する　　　4 細分する

4. 次の言葉の使い方として最もよいものを、1・2・3・4から一つ選びなさい。(4点×2)

1 及ぶ（およ）
　　1 日光を浴びて、葉がすくすくと及んだ（およ）。
　　2 長い間望んでいたことが及んで（およ）、先生は泣いていた。
　　3 森林火災（しんりんかさい）が消えず、住宅地にまで被害が及んだ（およ）。
　　4 じっくり煮る（に）と味が全体に及んで（およ）、おいしくなる。

2 品種
　　1 これは、寒さに強い品種なので、北海道でも育ちます。
　　2 日本では最近、安い品種の車がよく売れているそうだ。
　　3 祖母は、お金持ちの家に生まれたせいか、普通の人より品種がいい。
　　4 そのスポーツ大会ではたくさんの品種の試合が行われる。

Ⅰ. 言葉と例文 ≫

1 ウォーミングアップ

⑴ 科学や技術の分野で、あなたの国の有名な人は誰ですか。

⑵ その人は何を発明または発見しましたか。

2 言葉

---

1. 科学・技術

▶**開発／発明**

① ⬜⬜⬜が**進歩**する
  ● **科学**
  ● **テクノロジー**

② ダイナマイトを**発明**する

③ **ノーベル賞**を⬜⬜⬜
  ● **受賞**する・**取る**

④ 豊かな**発想**で**新商品**を**生み出す**

⑤ **開発**に長い**年月**を**費やす**

⑥ 偉大な**科学者**が多数の**業績**を**残す**

▶**生産／製品**

① **製品**を**生産**する

② **生産量**を増やす

③ 新しい**システム**を**導入**する

④ **設備**を⬜⬜⬜
  ● **点検**する・**チェック**する／**備える**

⑤ **作業**の**効率**が**上がる**

⑥ **製品**を作るのに**手間**が**掛かる**

⑦ **工場**で**部品**を**組み立てる**

⑧ **エネルギー**を**消費**する

⑨ **消費者**の**ニーズ**に**合う**

⑩ この**製品**は**丈夫**で**性能**がよく**長持ち**する

⑪ **高性能**のノートパソコンを**買う**

⑫ **不良品**を⬜⬜⬜
  ● **交換**する
  ● **返品**する

⑬ **通信網**が**発達**する

⑭ **携帯電話**が**普及**する

---

2. バイオテクノロジー

① 親から子へ**遺伝**する

② 子が親の**遺伝子**を**受け継ぐ**

③ **遺伝子組み換え作物**を作る

④ **作物**を**人工的**に作る

⑤ **品種**を**改良**する・**品種改良**する

⑥ **安全性**を**確かめる**

⑦ **生物**が⬜⬜⬜
  ● **進化**する─**退化**する

⑧ ⬜⬜⬜を**収集**する
  ● **サンプル・標本**

⑨ ⬜⬜⬜に**感染**する
  ● **菌・細菌**

3 語形成

(1) 新～　　　新商品　新製品

(2) ～者　　　科学者　消費者

(3) 組み～　　組み立てる　組み込む

(4) 高～　　　高性能　高機能

(5) ～的　　　人工的　科学的　技術的

(6) ～性　　　安全性　危険性

4 例文　　副詞や副詞的表現と一緒に使った例文を見てみよう。

(1) 科学は**めざましく**進歩している。

(2) 彼は新たなアイデアを**次々**に生み出し、偉大な業績を残した。

(3) その製品を作るのは**意外と**手間が掛かる。

(4) 携帯電話の普及率が高いのは、**もはや**先進国ばかりではない。

(5) 最近のカメラは**ますます**高性能になっている。

Ⅱ. 基本練習 ≫

1 導入練習

**Ⅰ. 言葉と例文の中から適当なものを（　　　　）に入れて、文を完成させなさい。始めの何文字か
はヒントとして示してあります。**

　　最近、遺伝子（①くみ　　　　　　）技術が進み、その技術を使って大豆やとうもろこしなどが
作られるようなった。この技術では、別の（②せい　　　　　　　）の遺伝子の一部を切り取って、
（③じん　　　　　　てき）に野菜や果物などの遺伝子に組み入れることができる。これによって、
（④　　　　　　ひしゃ）のニーズに合った（⑤さく　　　　　　）を作ることができるし、（⑥せ
りょう）も増やすことができる。しかし、遺伝子（⑦くみ　　　　）作物は、人間の
体にどのような影響を及ぼすかわからないとも言われ、その（⑧あん　　　　　　）性が問題視さ
れることもある。

---

2 連語 語と語のつながりや使い方を覚えよう。

例のように適当な言葉を線で結びなさい。

(1)　ノーベル賞を　　　　・費やす　　　(2)　手間が　　・　　・遺伝する

　　　長い年月を　・　　　・受賞する　　　　子供へ　・　　・掛かる

　　　ウイルスに　・　　　・上がる　　　　　ニーズに　・　　・収集する

　　　効率が　・　　　　　・感染する　　　　標本を　・　　・合う

3 意味 基本的な意味を確認しよう。

⬚⬚⬚の中から適当な言葉を選んで、（　　　）に入れなさい。

(1)　┌─────────────────┐
　　　│　交換　　普及　　導入　│
　　　└─────────────────┘

　　① 携帯電話が（　　　　　）しているのは先進国ばかりではない。

　　② 買った物が不良品だったので、店で（　　　　　）してもらった。

　　③ 工場では新しいシステムを（　　　　　）し、生産を増やそうとしている。

(2)　┌─────────────────────┐
　　　│　めざましく　　次々に　　もはや　│
　　　└─────────────────────┘

　　① 二十世紀には科学が（　　　　　）進歩し、快適な生活が送れるようになった。

　　② 安全かどうかわからないものを食べることは、（　　　　　）避けられないだろう。

　　③ 競争が激しく、各社から新商品が（　　　　　）開発されている。

4 類義 似た意味の言葉はどれですか。

＿＿＿の言葉に意味が近いほうを選びなさい。

(1)　この品種は丈夫で、味もいい。（　大きくて　強くて　）

(2)　世界で一番多くエネルギーを消費しているのはアメリカだ。（　買って　使って　）

5 語形成 接辞や複合語を覚えよう。

正しいものに○を付けなさい。

(1)　遺伝子組み換え技術は、安全（　性　度　量　）が問題視されることもある。

(2)　その国で自動車を生産することは、まだまだ技術（　式　的　費　）に難しい。

III. 実践練習 ≫

1. （　　）に入れるのに最もよいものを、1・2・3・4から一つ選びなさい。(2点×2)

1 このカメラは、小さいけれども（　　）性能だ。

1　高　　　　　　　2　良　　　　　　　3　優　　　　　　　4　多

2 工場ではロボットが製品を（　　）立てている。

1　取り　　　　　　2　持ち　　　　　　3　組み　　　　　　4　作り

2. （　　）に入れるのに最もよいものを、1・2・3・4から一つ選びなさい。(2点×2)

1 農作物の（　　）が進み、おいしくて形がよい果物や野菜が売られている。

1　品種改良　　　　2　遺伝（いでん）　　3　進化　　　　　　4　実験

2 そのメーカーの作る自動車は（　　）がいい。

1　設備　　　　　　2　能力　　　　　　3　性能　　　　　　4　業績

3. ＿＿＿＿の言葉に意味が最も近いものを、1・2・3・4から一つ選びなさい。(2点×2)

1 この製品は意外と丈夫（じょうぶ）で、壊れ（こわ）にくいんです。

1　思いのほか　　　2　思い通り　　　　3　思わず　　　　　4　思うように

2 工場の設備に問題がないか点検した。

1　観察した　　　　2　チェックした　　3　見直した　　　　4　実験した

4. 次の言葉の使い方として最もよいものを、1・2・3・4から一つ選びなさい。(4点×2)

1 収集

1　警察は犯人をその建物に収集している。

2　そろそろ会議が始まりますから、皆さん会議室に収集してください。

3　実験のデータを収集した。

4　この畑では秋に野菜を収集して、市場へ出荷する。

2 生産

1　田中さんの奥さんは赤ちゃんを生産したばかりだ。

2　新潟（にいがた）や北海道では米を多く生産している。

3　会議のための資料を生産した。

4　テレビ局で番組の生産に携わって（たずさ）いる。

Ⅰ. 言葉と例文 ≫

1 ウォーミングアップ

(1) あなたの国は今、暑いですか、寒いですか。雨や雪はたくさん降りますか。最近の天気について説明してください。

2 言葉

1. 数量・程度	
① この野菜は**ビタミン**を □ **含む**	⑬ 今日の**最低気温**は十**度**だった。
● **豊富**に・**たっぷり**	⑭ 日中の**最高気温**は三十**度**に**達した**。
② 日本は天然資源が**乏しい**	⑮ **ぶかぶか**の服を着る
③ ここでは作物が**わずか**しか取れない	⑯ □ を**測定**する
④ **大量**の水を飲む	● **幅／間隔**
⑤ **微量**の薬を混ぜる	● **距離**
⑥ 料理に塩を**少々**加える	⑰ **立体**（**立方体／球**）の**体積**
⑦ **大規模**な調査をする	⑱ **図形**（**長方形／正方形／円**）の**面積**
⑧ **高度**な技術・**テクニック**を持つ	⑲ **単位**
⑨ これは**まれに**起こる問題だ	● cm ：センチメートル
⑩ **風邪気味**で少し熱がある	● cm² ：**平方**センチメートル
⑪ 昔の経験が**大いに**役立つ	● cm³ ：**立方**センチメートル
⑫ 政府の**最大**の課題は景気回復だ	● ℓ ：リットル　t：トン

2. 増減・過不足	
① **計算**	⑤ **金額**を**計算**する
● **足し算**：2＋3＝5　（2**足す**3は5）	⑥ 人口が**増加**する—**減少**する
● **引き算**：5－2＝3　（5**引く**2は3）	⑦ 会社の**規模**を**縮小**する
● **掛け算**：2×3＝6　（2**掛ける**3は6）	⑧ 小麦の**需要**が**増大**する—**低下**する
● **割り算**：6÷2＝3　（6**割る**2は3）	⑨ チームに新しい**メンバー**が**加わる**
② 甘みが**足り**なかったので砂糖を**足した**	⑩ 仕事の経験を**積む**
③ 給料から税金が**引かれる**	⑪ **不足分**を**補う**
④ **勘定**を人数で**割る**→**割り勘**にする	⑫ **負担**を**軽減**する

3 語形成

(1) 大～　大規模　大多数

(2) ～気味　風邪気味　疲れ気味

(3) ～分　不足分　一か月分

4 例文　副詞や副詞的表現と一緒に使った例文を見てみよう。

(1) 東京ドームの直径は約244メートルで、面積は**およそ**4万7千平方メートルです。

(2) 我が国の経済の**一層**の発展のためには、輸出を増大させるよりほかにない。

(3) この地区での犯罪の発生件数は2007年をピークに**大幅**に減少している。

(4) 山田さんは、まだ入社一年目だから、**多少**経験不足なのは仕方がない。

(5) 箱の中にはおいしそうなお菓子が**ぎっしり**詰まっている。

(6) 本屋の棚には本や雑誌が**ずらりと**並んでいる。

(7) そろそろ帰る時間かと思い、時計を**ちらっと**見た。

II. 基本練習 ≫

1 導入練習

I. 言葉と例文の中から適当なものを（　　　）に入れて、文を完成させなさい。始め、または終わりの何文字かはヒントとして示してあります。

> 私はサッカーファンで、応援しているチームがある。キャプテンの山田選手は、長い間このチームの中心的な役割を果たしてきた、経験が（①ほう　　　　　）な選手だ。私が好きなのは田中選手だ。まだ若くて経験は（②　　　　　しい）が、元気がよくてハンサムだ。そして今度、このチームに川口選手が新しいメンバーとして（③くわ　　　　　）ことになった。川口選手は（④こう　　　　　）なテクニックを持っていることで有名だ。このチームでも（⑤　　　　いに）活躍してくれるだろう。

2 連語　語と語のつながりや使い方を覚えよう。

例のように適当な言葉を線で結びなさい。

(1)　規模を　　　　・　　　・負う　　　　(2)　需要が　　　　　・　　　・加わる

　　　経験を　　　　・　　　・足す　　　　　　　メンバーが　　・　　　・増大する

　　　負担を　　　　・　　　・積む　　　　　　　気温が四十度に・　　　・引かれる

　　　しょう油を・　　　・拡大する　　　　　　税金が　　　　・　　　・達する

3 意味　基本的な意味を確認しよう。

　🔲の中から適当な言葉を選んで、（　　　）に入れなさい。

(1)　┌─────────────────────────┐
　　　│　ずらりと　　　およそ　　　たっぷり　│
　　　└─────────────────────────┘

　　　① その町の人口は（　　　　　　）十万人だ。

　　　② 本屋には、発売されたばかりの小説が（　　　　　　）並べられていた。

　　　③ 風邪（かぜ）の予防には、ビタミンCを（　　　　　　）含む食物がよいと言われている。

(2)　┌──────────────────┐
　　　│　勘定（かんじょう）　減少　　低下　│
　　　└──────────────────┘

　　　① 少子化の影響（えいきょう）で、日本の人口は年々（　　　　　　）する傾向にある。

　　　② 急に気温が（　　　　　　）して、冬のような寒さになった。

　　　③（　　　　　　）を人数で割って、一人当たりの費用を計算した。

4 類義　似た意味の言葉はどれですか。

　＿＿＿の言葉に意味が近いほうを選びなさい。

(1)　この薬はまれに副作用が起こる危険性がある。（　たまに　たびたび　）

(2)　この建物の完成は当初の予定より多少遅れるようだ。（　少し　かなり　）

5 語形成　接辞や複合語を覚えよう。

正しいものに○を付けなさい。

(1)　最近、（　やせ　疲れ　興奮（こうふん）　）気味で、あまり食欲がない。

(2)　この国の国民の（　大　過　最　）多数がイスラム教を信じている。

III. 実践練習 ≫

1. （　　）に入れるのに最もよいものを、1・2・3・4から一つ選びなさい。(2点×2)

1　家から職場までの交通（　　）を計算した。

　　1　分　　　　　　　　2　料　　　　　　　　3　費　　　　　　　　4　代

2　今年は米の生産量が少なく、国内需要の不足（　　）は輸入で補われる予定だ。

　　1　部　　　　　　　　2　数　　　　　　　　3　幅　　　　　　　　4　分

2. （　　）に入れるのに最もよいものを、1・2・3・4から一つ選びなさい。(2点×2)

1　税金が上がって、たばこが（　　）値上げされた。

　　1　大いに　　　　　　2　大幅に　　　　　　3　大量に　　　　　　4　大規模に

2　議論を重ね、日本の経済に必要なのは自由な経済と強い企業という結論に（　　）。

　　1　達した　　　　　　2　届いた　　　　　　3　着いた　　　　　　4　加えた

3. ＿＿＿＿の言葉に意味が最も近いものを、1・2・3・4から一つ選びなさい。(2点×2)

1　ぶかぶかの靴を履いていたら、途中で脱げてしまった。

　　1　安すぎる　　　　　2　古すぎる　　　　　3　小さすぎる　　　　4　大きすぎる

2　道の向こうに猫の姿がちらっと見えた。

　　1　一瞬　　　　　　　2　一部分　　　　　　3　ずっと　　　　　　4　はっきりと

4. 次の言葉の使い方として最もよいものを、1・2・3・4から一つ選びなさい。(4点×2)

1　軽減

　　1　食事制限をして、体重が3キロ軽減できた。

　　2　100から2を軽減させると、98になる。

　　3　この大学では、学生の経済的負担を軽減するための奨学金制度がある。

　　4　もうすぐ試験なので、睡眠時間を軽減して勉強している。

2　ぎっしり

　　1　来週は会議や出張など、予定がぎっしり詰まっている。

　　2　パーティー会場には、ぎっしり料理が用意されている。

　　3　誕生日にプレゼントをぎっしりもらった。

　　4　彼女はぎっしりした性格で、どんなこともいい加減にはしない。

Ⅰ. 言葉と例文 ≫

1 ウォーミングアップ

(1) あなたの国では、「おはようございます」という言葉を使いますか。何時から何時ごろまで使いますか。

　　「こんにちは」「こんばんは」はどうですか。

2 言葉

---

1. 時間の前後・経過など

① **タイミング**が悪い

② **チャンス**を □

　● **つかむ─逃す／失う**

　● **与える／生かす**

③ 作業を**一時中断**する

④ 困ったときは**いつでも**電話してください

⑤ あの人は**いつまでも**昔のままだ

⑥ 今は無理でも**そのうち・いずれ**できるようになる

⑦ あと**十日前後**で作品が出来上がる

⑧ 来るときは**事前**に連絡してください

⑨ ここは**かつて・以前**墓地だった

⑩ 昨年の八月**以来**、彼に会っていない

⑪ **従来**の考え方を見直す

⑫ 今後も**従来通り**試験を**実施**する

⑬ **過去**の出来事を思い出す

⑭ **日ごろ**から食生活に注意する

⑮ 楽しい時間を**過ごす**

⑯ **月日**が**たつ・経過**する

⑰ 今はまだ研修**期間中**だ

⑱ 地球が**一定**の**周期**で回る

⑲ **正午過ぎ**に目的地に到着した

---

2. 時間帯

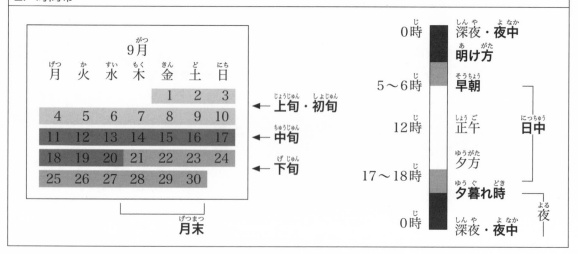

---

3. 位置・場所

① 動かした家具を**元の位置**に戻す	⑥ この**枠**の中に名前を書いてください
② 家具の**配置**を変える	⑦ **東京方面へ向かう**電車に乗る
③ 快適な**空間**を作る	⑧ 駅の**周辺**に店が**並ぶ**
④ 部屋に机を置く十分な**スペース**がない	⑨ 広い**範囲**に渡る
⑤ 壁に**所々**小さな穴が開いている	⑩ 道に**沿って**木を植える

3 語形成

(1) ～通り **従来通り 予想通り 予定通り**　　(2) ～中 **期間中 授業中**

(3) ～過ぎ **正午過ぎ 八時過ぎ**　　(4) ～時 **夕暮れ時 梅雨時**

(5) **～方面 東京方面 都心方面**

4 例文　副詞や副詞的表現と一緒に使った例文を見てみよう。

(1) 事前の打ち合わせ**通り**、彼が部屋に入ってくると、皆で**一斉に**歌を歌い始めた。

(2) この寺は**極めて**古く、その歴史は**はるか**六世紀までさかのぼることができる。

(3) ここでは**かつて**地震がある程度の周期で繰り返し起こっていた。

(4) 基地周辺の住民は、**常に**騒音に悩まされながら、生活を送っていた。

II. 基本練習 ≫

1 導入練習

I. 言葉と例文の中から適当なものを（　　　）に入れて、文を完成させなさい。始め、または終わりの何文字かはヒントとして示してあります。

　最近、眠れない夜が続いて、体調を崩していた。恐らく仕事が忙しすぎて、精神的にも肉体的にも弱っていたせいだろう。病院へ行って薬をもらった。これをきっかけに、規則正しい生活を意識するようになった。（①かつ　　　　　）は夜中まで仕事をする日も少なくなかったが、今は毎晩早く寝て朝五時に起き、近所の公園を散歩している。（②　　　　ちょう）の公園は空気がきれいで気持ちがいい。また、（③ひご　　　　　）の食生活を振り返り、栄養のバランスにも気を付けるようにしている。まだ、完全に治ってはいないが、少しずつ回復に（④　　　　って）いるので、（⑤　　　　　うち）よくなるだろう。（⑥こん　　　　）もこの生活を続けていくつもりだ。

---

2 連語　語と語のつながりや使い方を覚えよう。

例のように適当な言葉を線で結びなさい。

(1)　配置を　　　　・　　　・過ごす　　(2)　元の位置に　　・　　　・逃す

試合を　　　　　・　　　・中断する　　　チャンスを　　・　　　・見直す

楽しい時間を　　・　　　・生かす　　　　広い範囲に　　・　　　・渡る

経験を　　　　　・　　　・変える　　　　従来（じゅうらい）の考え方を・　　・戻す

3 意味　基本的な意味を確認しよう。

☐☐☐の中から適当な言葉を選んで、（　　　）に入れなさい。

(1)　☐ 一斉（いっせい）に　　はるか　　かつて ☐

① （　　　　　　）この道路に沿（そ）って、桜（さくら）の木が植えられていた。

② この寺が建てられたのは（　　　　　）昔、七世紀（せいき）ごろのことだ。

③ 畑にまいた種が、今週から（　　　　　）発芽（はつが）し始めた。

(2)　☐ スペース　　タイミング　　チャンス ☐

① 大きいソファーを買いたいが、この部屋には置く（　　　　　　）がない。

② （　　　　　　）があれば、私もあのテレビ番組に出てみたい。

③ 電話を掛（か）けようとしたら、（　　　　　）よく相手から電話が掛（か）かってきた。

4 類義　似た意味の言葉はどれですか。

＿＿＿の言葉に意味が近いほうを選びなさい。

(1)　この教会は工事中だが、中は従来通（じゅうらいどお）り見学できる。（　今まで同様　将来も同様　）

(2)　昨日降った雪がまだ所々（ところどころ）残っている。（　全部に　部分的に　）

5 語形成　接辞や複合語を覚えよう。

正しいものに○を付けなさい。

(1)　授業（　時　中　期　）は携帯電話（けいたいでんわ）の電源を切ってください。

(2)　この店のチーズケーキは、開店（　前後　以前　以来　）ずっと人気商品です。

III. 実践練習 ≫

1. （　　　）に入れるのに最もよいものを、1・2・3・4から一つ選びなさい。(2点×2)

1 夕暮れ（　　　）の車の運転には十分注意しよう。

　　1　中　　　　　　2　時　　　　　　3　方　　　　　　4　期

2 会議は予定（　　　）、明日の朝十時から行われます。

　　1　以来　　　　　2　前後　　　　　3　以前　　　　　4　通り

2. （　　　）に入れるのに最もよいものを、1・2・3・4から一つ選びなさい。(2点×2)

1 ここでは、約八十年の（　　　）で地震が起きている。

　　1　周期　　　　　2　短期　　　　　3　定期　　　　　4　一時

2 試験の内容を（　　　）教えるようなことは決してありません。

　　1　一時　　　　　2　いつまでも　　　3　事前に　　　　4　日ごろ

3. 　　　　　の言葉に意味が最も近いものを、1・2・3・4から一つ選びなさい。(2点×2)

1 実験が始まってから三時間経過した。

　　1　すごした　　　2　ついやした　　　3　おわった　　　4　たった

2 快適な空間を作るには、十分なスペースがあることが極めて大切だ。

　　1　やはり　　　　2　非常に　　　　　3　常に　　　　　4　とりあえず

4. 次の言葉の使い方として最もよいものを、1・2・3・4から一つ選びなさい。(4点×2)

1 月日

　　1　今日の月日は何月何日でしたっけ。

　　2　次の月日までに、レポートを必ず提出しなければならない。

　　3　あなたの生まれた月日をまず教えてください。

　　4　大学を卒業してから十年の月日が流れた。

2 日中

　　1　試験期間中なので、朝から夜まで日中勉強している。

　　2　午前は勉強、午後はアルバイトと忙しい日中を送っている。

　　3　日中は留守にすることが多いので、会社の住所に送ってください。

　　4　家の近所のラーメン屋は、日中を問わず二十四時間営業している。

実力養成編　第2部　性質別に言葉を学ぼう

Ⅰ．言葉と例文　≫

1 ウォーミングアップ

次の中で「つかむ」ことができるのはどれでしょうか。――

ボール　腕　胸　心　証拠　情報　チャンス　ポイント

2 言葉

訴える	① 患者の家族は医療ミスで病院を訴えた。[会社、学校、相手を～] ② A選手は試合後、腰の痛みを訴えた。[症状、不安、不満を～] ③ 市長は演説で市民に平和の大切さを訴えた。[重要性、必要性を～]
押さえる 抑える	① ドアが閉まらないように押さえておいてください。[帽子、髪を～] ② 女の人が苦しそうな顔でおなかを押さえている。[口、耳、胸、傷口を～] ③ 面接の前に押さえておきたい五つのポイント。[要点を～] ④ ダイエット用にカロリーを抑えた食品。[甘さ、費用、上昇、増加を～] ⑤ 怒鳴りたい気持ちを必死で抑えた。[感情、怒りを～]
傾く	① 乗客が一か所に集まると、船が傾いてしまう。[建物、床、柱、体が～] ② 五時を過ぎて太陽が西に傾き始めた。[月、日が～] ③ 婚約者がいるのに、ほかの人に心が傾いている。[気持ち、考えが～] ④ 不景気で売り上げが落ち、会社が傾き始めた。[商売、経営が～]
刻む	① ネギを刻んでスープに入れる。[ニンニク、ハム、野菜を～] ② お墓に亡くなった人の名前が刻まれている。[指輪、木、石、ガラスに～] ③ 長い歴史を刻んだ建物がそのまま残っている。[歴史、伝統、時を～] ④ 彼の言葉が今も胸に深く刻まれている。[胸、心、記憶に～]
崩す	① 形を崩さないようにケーキを切った。[山、壁、豆腐を～] ② 列を崩さずまっすぐに並ぶ。[バランス、調子、リズム、姿勢を～] ③ 千円札を崩して全部百円玉にする。[お金を～]
狂う	① 仕事が忙しすぎて、ときどき気が狂いそうになる。[頭が～] ② この時計は狂っているから、直してもらおう。[調子、リズム、感覚が～] ③ 急に友達が来たせいで、予定が狂ってしまった。[計画、人生、計算が～]
削る	① 鉛筆をナイフで削る。[石、山、木、氷、骨、歯を～] ② 睡眠時間を削って勉強する。[予算、費用、時間を～]

逆らう （さか）	① 流れに逆らって川上に泳ぐ。[風、重力、時代、時代の波、流行に〜] ② 上司の命令に逆らったら、首になる。[指示、方針、神、親、先生に〜]
縛る （しば）	① ごみは袋に入れ、袋の口をしっかり縛って出してください。[手足、髪、ひもを〜] 縛られる ② 団体旅行は時間に縛られてしまう。[規則、組織、常識に〜]
搾る （しぼ） 絞る （しぼ）	① レモンを搾ってジュースを作る。[果実、ジュース、牛乳を〜] ② タオルはよく絞ってから干してください。[ぞうきん、ハンカチを〜] ③ みんなで知恵を絞り、解決方法を考えた。[アイデア、頭、声を〜] ④ テーマを一つに絞ってレポートを書く。[焦点、的、人数、条件を〜]
染みる （し）	① 靴がぬれて、雨水が靴下まで染みてきた。[汗、味、においが〜] ② 冷たい水が虫歯に染みて痛い。[煙が目に〜、薬が傷に〜] ③ つらいときほど人の優しさが心に染みる。[胸に〜]
迫る （せま）	① 結婚式が三日後に迫っている。[試験、選挙、締め切り、危険が〜] ② 次回この番組ではハワイの魅力に迫ります。[なぞ、素顔、問題に〜] ③ 彼は彼女に結婚を迫られ、困ってしまった。[対応、選択、決断を〜]
注ぐ （そそ）	① 関東平野を流れ、東京湾に注ぐ荒川。[川が海に〜] ② カップにお湯を注ぐだけでスープができる。[酒、スープ、お茶を〜] ③ 彼はこの十年間、研究に全力を注いできた。[力、愛情、エネルギーを〜]
備える （そな）	① 地震に備えて水を買っておく。[事故、火災、攻撃、トラブルに〜] ② 最近の携帯電話は多くの機能を備えている。[性能、設備、施設を〜] ③ 就職前に基本的な経済の知識を備えておく。[魅力、技術、実力を〜]
つかむ	① 警官は泥棒の腕をつかんで放さなかった。[髪、ボール、ロープを〜] ② 苦労の末、彼はやっと幸せをつかんだ。[チャンス、成功、情報、夢を〜] ③ 文章を読んで要点をつかむ。[コツ、ポイント、特徴、イメージを〜] ④ 彼の歌声は一瞬で客の心をつかんだ。[気持ち、ファン、読者を〜]
つぶす	① イチゴをつぶしてジュースを作った。[虫、缶、ジャガイモを〜] ② 父は無理な経営を続け、とうとう店をつぶしてしまった。[会社を〜] ③ 子供の可能性をつぶしてはいけない。[夢、チャンス、才能、計画を〜] ④ 友達を待つ間、本を読んで時間をつぶした。[時間、暇、休みを〜]

II. 基本練習 ≫

1 連語　一緒に使う言葉を覚えよう。

例のように一緒に使う言葉を線で結びなさい。

(1)　鉛筆・骨・岩・歯・木・氷　　・　　　　・を崩す

　　　牛乳・レモン・ジュース　　・　　　　・を抑える

　　　豆腐・バナナ・空き缶・蚊　・　　　　・を削る

　　　体調・バランス・姿勢・リズム・　　　・を搾る

　　　カロリー・費用・甘さ・痛み　・　　　をつぶす

(2)　規則・時間・常識・固定観念　・　　　・に逆らう

　　　親・先生・上司・命令・指示　・　　　・に縛られる

　　　胸・心・記憶　　　　　　　・　　　・に備える

　　　試合・将来・地震・万一　　・　　　・に刻まれる

(3)　敵・危険・締め切り・期日　　・　　　・が狂う

　　　時計・調子・リズム・予定　・　　　・が迫る

　　　夢・才能・可能性・チャンス・　　　・を注ぐ

　　　愛情・エネルギー・全力　　・　　　・をつぶす

(4)　予算・食費・睡眠時間　　　　・　　　・が狂う

　　　範囲・焦点・話題・人数・候補・　　　・をつかむ

　　　予定・計画・計算・順番　　・　　　・を削る

　　　勝利・成功・夢・チャンス　・　　　・を絞る

---

2 意味　意味の広がりに気を付けよう。

(　　)に共通して入る言葉を□□□の中から選んで、必要なら形を変えて書きなさい。

(1)　┌─────────────────────┐
　　　│　逆らう　　注ぐ　　染みる　　傾く　│
　　　└─────────────────────┘

　　⑳　a　この料理は、野菜の中までしっかり味が（　染みて　）いて、とてもおいしい。

　　　　b　卒業式の校長先生のスピーチは感動的で心に（　染みた　）。

　　①　a　船の片側に荷物を載せたら、船が（　　　　　）しまった。

　　　　b　田中さんの話を聞いて、みんなの意見が賛成に（　　　　　）始めた。

　　②　a　若いころは親に（　　　　　）、悪いことばかりしていた。

　　　　b　パソコンは苦手だが、時代の流れに（　　　　　）ことはできない。

　　③　a　ビールをグラスの半分ぐらいまで（　　　　　）ください。

　　　　b　彼女は、ペットに対し、まるで人間の子供のように愛情を（　　　　　）いる。

(2)　狂う　崩す　削る　押さえる

① a　会議中、あくびが出そうになったので、慌てて口を（　　　　　）。

　　b　彼の解説は要点をしっかり（　　　　　）いてわかりやすい。

② a　山を（　　　　　）り、海を埋め立てたりして、土地を広げる。

　　b　ボールをけるときに体のバランスを（　　　　　）、転んでしまった。

③ a　四角い氷をナイフで（　　　　　）丸い形にする。

　　b　今月は収入が少ないので、食費を（　　　　　）授業料にあてることにした。

④ a　この国の夏は夜九時でも外が明るいので、時間の感覚が（　　　　　）しまう。

　　b　飛行機が三時間も遅れたので、予定がすっかり（　　　　　）しまった。

(3)　縛る　つぶす　つかむ　訴える

① a　両足と両手がロープで（　　　　　）いるので逃げられない。

　　b　常識に（　　　　　）ず、新しい発想で新商品を開発する。

② a　知らない男が机の上にあった私の財布を（　　　　　）逃げていった。

　　b　この世界で成功を（　　　　　）には、運も必要だ。

③ a　このまま金を返さないなら裁判所にお前を（　　　　　）やるぞ。

　　b　先週、新宿で五百人以上の人々がデモを行い、戦争反対を（　　　　　）。

④ a　ペットボトルは（　　　　　）から捨ててください。

　　b　出発まで二時間もあるので、買い物をして時間を（　　　　　）ことにした。

(4)　刻む　迫る　絞る　備える

① a　明日の試合に（　　　　　）、今晩はゆっくり休もう。

　　b　今、建設中のこのマンションは、最新の設備を（　　　　　）います。

② a　結婚記念のグラスに二人の名前と日付が（　　　　　）いる。

　　b　この大時計は二百年以上も前から時を（　　　　　）続けている。

③ a　ぬれたタオルを（　　　　　）、庭に干した。

　　b　試験まで、苦手な数学に的を（　　　　　）、勉強しよう。

④ a　試験日が（　　　　　）いるので、今は遊んでいる時間はない。

　　b　「金を返せ」と友人に（　　　　　）いるが、金がないので返せない。

1. （　　　）に入れるのに最もよいものを、1・2・3・4から一つ選びなさい。(1点×10問)

1 この小学校は、地域とともに百年以上の長い歴史を（　　　）きた。

1　おさえて　　　　2　きざんで　　　　　3　そそいで　　　　　4　どけて

2 父は酒やパチンコにお金を使い、三十年続いた店を（　　　）しまった。

1　かたむいて　　　2　おさえて　　　　　3　おちいって　　　　4　つぶして

3 市民は動物実験反対を（　　　）デモを行った。

1　うったえて　　　2　きざんで　　　　　3　うやまって　　　　4　さからって

4 生活のリズムを（　　　）ないので、夜は早く寝ることにしている。

1　くわえたく　　　2　くるみたく　　　　3　くるいたく　　　　4　くずしたく

5 旅行の途中でパスポートをなくしたために、計画がすっかり（　　　）しまった。

1　くるって　　　　2　せまって　　　　　3　さからって　　　　4　かじって

6 コツを（　　　）、料理は早く上手にできます。

1　つまめば　　　　2　そなえれば　　　　3　つかめば　　　　　4　しぼれば

7 たばこの煙が目に（　　　）、涙が出た。

1　しぼって　　　　2　さめて　　　　　　3　しみて　　　　　　4　そそいで

8 彼はこれまでの四十年間、幼児教育に情熱を（　　　）きた。

1　かたむいて　　　2　そそいで　　　　　3　うばって　　　　　4　うったえて

9 今日は何もすることがないので、ゲームでもして暇（ひま）を（　　　）。

1　くずそう　　　　2　つぶそう　　　　　3　さけよう　　　　　4　けずろう

10 寮（りょう）での生活は、規則に（　　　）、好きなことが自由にできない。

1　そなえられて　　2　つかまれて　　　　3　しかられて　　　　4　しばられて

2. ＿＿＿の言葉に意味が最も近いものを、1・2・3・4から一つ選びなさい。(1点×5問)

1 A社は来年度から広告費をけずることにした。

1　もらう　　　　　2　借りる　　　　　　3　減らす　　　　　　4　増やす

2 大家さんに家賃の支払いをせまられた。

1　待たせた　　　　2　求められた　　　　3　断られた　　　　　4　感謝（かんしゃ）された

3 今から調査をするなら、範囲（はんい）をしぼったほうがいい。

1　確かめた　　　　2　変えた　　　　　　3　狭くした　　　　　4　広げた

4 今日、目が覚めたら、もう日が傾きかけていた。

1　のぼり　　　　　2　しずみ　　　　　　3　くもり　　　　　　4　みえ

5 最近は塩分をおさえたメニューが人気だ。

1　強くした　　　　2　減らした　　　　　3　含んだ　　　　　　4　含まない

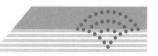

3. 次の言葉の使い方として最もよいものを、1・2・3・4から一つ選びなさい。(2点×5問)

1 さからう

1 社長が決めたことには誰もさからえない。

2 強い風が吹いて、船が大きく右にさからった。

3 政府に対してダム建設中止をさからう人々がデモ行進をしている。

4 六歳の息子は、ときどき、右と左をさからって靴を履いてしまう。

2 きざむ

1 父は会社のために睡眠時間をきざんで働いてきた。

2 読み手の心をきざむためには、特に最初の文章が大切だ。

3 このケーキは甘みをきざんであるので、男性にも評判がいい。

4 指輪の裏に二人の名前がきざまれている。

3 そなえる

1 普段から少しずつ貯金をして、万一の場合にそなえている。

2 棚から荷物が落ちないように、手でそなえておいてください。

3 台風がすぐ近くまでそなえているから、外出しないほうがいい。

4 医者の話では、最近、ストレスによる頭痛をそなえる人が増えているそうだ。

4 しばる

1 高校時代は規則にしばられて、自由がまったくなかった。

2 売り上げを最大限に伸ばすために、企業は知恵をしばっている。

3 レポートの締め切りがしばっているのに、まだ何もやっていない。

4 この薬は、風邪による症状をしばる働きがあります。

5 つかむ

1 このホテルは、プールやゴルフ場などの設備もつかんでいる。

2 警察は犯人についての情報を既につかんでいるらしい。

3 いつも私を支えてくれている家族のありがたさが心につかむ。

4 卒業式で母はハンカチで目をつかんで泣いていた。

Ⅰ. 言葉と例文 ≫

1 ウォーミングアップ

下の四つの（　）には同じ動詞が入ります。さて何でしょう？──

「まっすぐ行くと、通りに（　　　）」「二台の車が（　　　）事故」「親と（　　　）」「壁に（　　　）」

2 言葉

積む	① 書類が山のように積んである。[箱、野菜、木材を〜]
	② トラックに引っ越しの荷物を積んだ。[〔もの〕を車、船、バイク、自転車に〜]
	③ さまざまな体験を積んで人は成長する。[経験、練習、トレーニングを〜]
解く	① 引っ越しの荷物を解いて片付ける。[包み、縄、ひも、包帯、帯を〜]
	② この数学の問題は大学生でも解けないだろう。[なぞ、パズルを〜]
	③ 事情を説明して彼女の誤解を解いた。[緊張、疑い、警戒を〜]
溶く	④ 小麦粉を水と卵で溶いてケーキを作る。[スープ、みそ、絵の具を〜]
捕らえる とらえる	① 犯人は逃げようとしたが、すぐに警官に捕らえられた。[魚、小鳥を〜]
	心をとらえる ② この小説は今も昔も多くの若者の心をとらえている。
	③ 彼のかく人物画はよく特徴をとらえている。[変化、状況、意味を〜]
	④ 失敗は成功するためのチャンスととらえることもできる。
握る	① 子供は母親の手をしっかり握った。[手首、ロープ、小石を〜]
	② 彼女はハンドルを握ると、性格が変わる。[マイク、ペン、包丁を〜]
	③ 我が家は母が財布を握っている。[権力、力、事件のかぎを〜]
	④ 彼に弱みを握られているので強く言えない。[秘密、弱点を〜]
にらむ	① 怒られた子供は母親の顔をじっとにらんでいた。[こっち、〔人〕を〜]
	② 彼は真剣な顔でデータをにらんでいる。[試験問題、書類、鏡を〜]
	③ 警察は彼を犯人とにらんでいる。
跳ねる はねる	① 網の中でたくさんの魚が跳ねている。[ウサギ、ボールが〜]
	② 車が横を通ったときに、スカートに泥がはねた。[油、水が〜]
	③ 髪の毛がはねているけど、寝坊したの？[ひげが〜]
	はねられる ④ 友人がタクシーにはねられて、入院した。[〔人、動物〕が車、バイクに〜]
はまる	① ボタンが大きすぎてなかなかはまらない。[指輪、ふた、ねじが〜]
	② 急いでいるのに、バスが渋滞にはまってしまった。[わな、深みに〜]
	③ 兄はゲームにはまっていて、夜もあまり寝ずにやっている。[映画に〜]
	④ 型にはまらず、自由な発想で考えてください。[枠、パターンに〜]

膨らむ (ふく)	① 風船が大きく膨らんだ。[財布、おなか、ポケットが〜] ② A選手の今後の活躍に期待が膨らむ。[イメージ、想像、夢が〜] ③ 借金がどんどん膨らんでしまって、返せない。[予算、赤字が〜]
ふさがる	① 台風で木が倒れて、道がふさがっている。[通路、入口、血管が〜] ② 一週間たって、やっと傷がふさがった。[穴、隙間が〜] ③ 荷物で手がふさがっていて、ドアが開けられない。[部屋、席、予定が〜]
ぶつかる	① トラックとバスがぶつかった。／荷物が人にぶつかってしまった。 ② この道をまっすぐ行くと大通りにぶつかる。[広い道、T字路に〜] ③ 試験日と卒業式がぶつかってしまった。[予定、日程、スケジュールが〜] ④ 壁にぶつかって、研究が進まない。[困難、疑問、問題に〜] ⑤ 上司と意見がぶつかって、会社を辞めた。[〔人〕と意見が〜、〔人〕と〜]
振る (ふ)	① 犬はうれしいときしっぽを振る。[手、首、瓶、旗を〜] ② 野菜が煮えたら、器に入れ、最後にごまを振る。[塩、こしょうを〜] ③ 彼女に告白したら振られてしまった。[〔人〕を〜] ④ 名簿の名前にふりがなを振る。[番号、読みがなを〜]
触れる (ふ)	① 作品に手を触れないでください。／前に立っている人の髪が顔に触れる。 ② この金属は空気に触れると黒くなる。[光、熱に〜] ③ 海外旅行は外国の文化に触れるいい機会だ。[芸術、魅力、優しさに〜] ④ 彼女と話すときは、年齢には触れないほうがいい。[話題、問題に〜] ⑤ 日本では二十歳以下の者の喫煙は法律に触れる。[法、規則に〜] ⑥ 貴重品は人目に触れないところに置く。[目、耳に〜]
招く (まね)	① 結婚式に大学時代の友人を招いた。[食事、パーティー、式、家に〜] ② 説明が不十分で誤解を招いてしまった。[危険、事故、混乱を〜]
寄せる (よ)	① 車を右に寄せて止める。[端、片側、中央、一か所に〜] ② 番組に対するご意見、ご感想をお寄せください。[便り、情報、苦情を〜] ③ この現象に多くの学者が関心を寄せている。[期待、思い、信頼を〜]

II. 基本練習 ≫

1 連語　　一緒に使う言葉を覚えよう。

例のように一緒に使う言葉を線で結びなさい。

(1) 経験・トレーニング・練習・訓練　・　　　　　・にぶつかる

　　水・お湯・油・泥　　　　　　　　・　　　　　・を積む

　　ひも・縄・帯・包み・荷物　　　　・　　　　　・を握る

　　ハンドル・マイク・ペン・包丁・手・　　　　　・を解く

　　おなか・財布・ポケット・パン　　・　　　　　・がはねる

　　車・壁・柱・通行人　　　　　　　・　　　　　・が膨らむ

(2) 道路・入り口・穴・血管　　　　　・　　　　　・を解く

　　なぞ・問題・パズル・疑問　　　　・　　　　　・を寄せる

　　夢・想像・期待・イメージ・アイデア・　　　　・を招く

　　誤解・事故・混乱・疑い　　　　　・　　　　　・をとらえる

　　関心・信頼・期待・思い・好意　　・　　　　　・がふさがる

　　特徴・状況・変化・意味　　　　　・　　　　　・が膨らむ

(3) 財布・かぎ・権力　　　　　　　　・　　　　　・にはまる

　　渋滞・わな・深み　　　　　　　　・　　　　　・を寄せる

　　誤解・緊張・怒り　　　　　　　　・　　　　　・を解く

　　赤字・借金・予算　　　　　　　　・　　　　　・を握る

　　席・部屋・電話・予定・手　　　　・　　　　　・が膨らむ

　　苦情・要望・相談・感想・意見・質問・　　　　・がふさがる

2 意味　　意味の広がりに気を付けよう。

（　）に共通して入る言葉を▢の中から選んで、必要なら形を変えて書きなさい。

(1)　┌─────────────────────────────┐
　　　│　にらむ　　膨らむ　　積む　　招く　　寄せる　│
　　　└─────────────────────────────┘

　　例　a　家に友人を（ 招いて／招き ）、妻の手料理をごちそうした。

　　　　b　突然システムを変更したら、社内の混乱を（ 招く ）かもしれない。

　　①　a　今からゲームをするので、机を教室の隅に（　　　　　）ください。

　　　　b　新聞の解説コーナーに、毎週たくさんの質問が（　　　　　）いる。

　　　　c　国民は新しい政府に大きな期待を（　　　　　）いる。

② a　ポケットが（　　　　　）いるけど、何が入っているの？

　　b　一つの言葉から、いろいろなイメージが（　　　　　）くる。

　　c　映画は、製作を進めるうちに、どんどん予算が（　　　　　）しまうものだ。

③ a　夫は娘の帰りを心配して、さっきから時計ばかり（　　　　　）いる。

　　b　私が（　　　　　）とおり、やはり故障の原因はこれだった。

④ a　この車は大量の荷物を（　　　　　）いるから、あまりスピードが出ない。

　　b　卒業後は、国内のイタリア料理店で経験を（　　　　　）つもりだ。

(2)　| 解く　　とらえる　　はまる　　はねる　　振る |

① a　新しいスカートなのに、泥が（　　　　　）、汚れてしまった。

　　b　髪が（　　　　　）いるのに、彼女は気にしていないみたいだ。

　　c　車は通学途中の小学生三人を（　　　　　）、そのまま逃げていった。

② a　トマトに塩を（　　　　　）食べる。

　　b　いつまでも就職しないので、付き合っていた彼女に（　　　　　）しまった。

　　c　レポートに入れるグラフには番号を（　　　　　）おきましょう。

③ a　母に着物の帯を（　　　　　）もらった。

　　b　ある刑事が殺人事件のなぞを（　　　　　）いくという内容の映画を見た。

　　c　事実を明らかにして、みんなの誤解を（　　　　　）たい。

④ a　動物園から逃げ出した猿を、係員が網で（　　　　　）。

　　b　時代の変化を（　　　　　）、その時代に合った新商品を開発する。

⑤ a　この窓は先週割れてしまったので、今はガラスが（　　　　　）いない。

　　b　深みに（　　　　　）ないように、川で遊ぶときは気を付けよう。

(3)　| 握る　　ふさがる　　ぶつかる　　触れる |

① a　しょう油は、空気や光に（　　　　　）と、味が変化してしまいます。

　　b　首相はスピーチで重要な課題の一つとして環境問題にも（　　　　　）。

② a　通勤時間に（　　　　　）と電車が込むので、朝早く出かけよう。

　　b　彼とは考え方が違うので、いつも意見が（　　　　　）しまう。

③ a　手術をしたときの傷がまだ（　　　　　）いないので、激しい運動はできない。

　　b　ホテルを予約しようとしたが、部屋は全部（　　　　　）いるということだった。

④ a　普段は電車を使っているので、車のハンドルを（　　　　　）のは久しぶりだ。

　　b　妻が財布を（　　　　　）いるので、妻の許可を得ないと買い物できない。

Ⅲ．実践練習　≫

1.（　　）に入れるのに最もよいものを、1・2・3・4から一つ選びなさい。（1点×10問）

1 型に（　　）絵は面白くない。

　　1　よせた　　　　　2　よんだ　　　　　3　はねた　　　　　4　はまった

2 法律に（　　）なければ何をしてもいいというわけではない。

　　1　ふれ　　　　　　2　ふら　　　　　　3　ふくらま　　　　4　ふるえ

3 運転手の不注意が大事故を（　　）こととなった。

　　1　ぶつかる　　　　2　にらむ　　　　　3　とく　　　　　　4　まねく

4 話し合いの中で、意見が（　　）ことも少なくない。

　　1　はねる　　　　　2　あばれる　　　　3　ふさがる　　　　4　ぶつかる

5 卵をよく（　　）から、小麦粉を入れてください。

　　1　ふくらんで　　　2　といて　　　　　3　こぼして　　　　4　つんで

6 油が（　　）ように、魚をそっと油の中に入れてください。

　　1　にえない　　　　2　とけない　　　　3　はねない　　　　4　ぶつからない

7 レポートの本文には、必ずページ番号を（　　）ください。

　　1　ぬって　　　　　2　よせて　　　　　3　ふれて　　　　　4　ふって

8 アメリカの大学に進学した友人の話を聞いて、ますます留学の夢が（　　）。

　　1　ちぢんだ　　　　2　ふくらんだ　　　3　つんだ　　　　　4　ふさがった

9 監督（かんとく）は「今年こそ優勝できるだろう」と選手たちの活躍（かつやく）に期待を（　　）いる。

　　1　よせて　　　　　2　まねいて　　　　3　つんで　　　　　4　にらんで

10 学校から帰る途中でバイクに（　　）、入院することになった。

　　1　ふさがって　　　2　だまされて　　　3　はまって　　　　4　はねられて

2.　＿＿＿の言葉に意味が最も近いものを、1・2・3・4から一つ選びなさい。（1点×5問）

1 妹は占いにはまっている。

　　1　悩んで　　　　　2　夢中になって　　3　慣れて　　　　　4　疑問を持って

2 田中さんは今の学校教育をどうとらえていらっしゃいますか。

　　1　行って　　　　　2　考えて　　　　　3　調べて　　　　　4　教えて

3 彼の言っていることは、半分以上うそだとにらんでいる。

　　1　知って　　　　　2　思って　　　　　3　聞いて　　　　　4　言って

4 来月まで予定がふさがっている。

　　1　わかって　　　　2　届いて　　　　　3　空いて　　　　　4　入って

5 「子育てこころの相談室」では数多くのご相談のメールをお寄せいただいています。

　　1　お読み　　　　　2　お取り　　　　　3　お受け　　　　　4　お送り

3. 次の言葉の使い方として最もよいものを、1・2・3・4から一つ選びなさい。(2点×5問)

1 にぎる

1 商品の特徴をよくにぎらないと、よい広告は作れない。

2 犯人は自転車で逃げたが、あっという間に警官ににぎられた。

3 そこの壁は汚れているので、にぎらないように注意してください。

4 あの女が事件のかぎをにぎっているに違いない。

2 つむ

1 日本チームの活躍に、全国民が期待をつんでいる。

2 もっと練習をつめば、君も試合に出場できるよ。

3 車に女性をつむのは初めてだったので、とても緊張した。

4 お名前にひらがなでふりがなをつんでいただけますか。

3 ぶつかる

1 この話が社長の耳にぶつかったら大変だ。

2 料理をしているときに、油が手にぶつかって、やけどをしてしまった。

3 祝日が日曜とぶつかる場合、月曜日も休みになる。

4 入り口が荷物でぶつかっていて、中に入れない。

4 とく

1 誤解をとかないように、もっとはっきり説明したほうがいい。

2 彼女は困難な問題にといても、けっして夢をあきらめなかった。

3 娘が真剣な表情でパズルをといている。

4 ウサギがぴょんぴょんといている。

5 にらむ

1 かわいい女の子がうれしそうに私の顔をにらんでいた。

2 大きくにらんだ風船が空高く飛んでいった。

3 女の子が母親と手をにらんで歩いている。

4 レストランでたばこを吸ったら、隣の席の人がこっちをにらんだ。

Ⅰ. 言葉と例文 》》

1 ウォーミングアップ

下の三つの（　　）には同じ言葉が入ります。さて何でしょう？──

「道の（　　　）が狭い」「気温の変化の（　　　）が大きい」「選択の（　　　）が広がる」

2 言葉

荒い 粗い	① 彼は走ってきたのか、呼吸が荒かった。[息、波が〜]
	② 父は運転が荒いので、父の車には乗りたくない。[使い方、人遣い、言葉遣いが〜]
	③ 野菜を粗く刻んで、フライパンでいためる。[粒、網の目が〜]
	④ 安いシャツは作りが粗いから、すぐに破れてしまう。[仕事、処理が〜]
恐ろしい	① この病気は絶対に助からない恐ろしい病気だ。[〜事件、顔、話]
	② 彼女は恐ろしく頭がいいから、何をやっても成功するだろう。
穏やか	① 波のない穏やかな海を眺めながら海岸を歩く。[〜な天気、笑顔、表情]
	② 彼は穏やかな人で、彼が怒ったところを見たことがない。[〜な人、性格]
勝手	① 彼女はほかの人の迷惑も考えず、勝手なことばかり言っている。
	② この部屋は、許可のない人が勝手に入ってはいけない。
	③ 図書館を利用するのは初めてなので、勝手がわからなくて困った。
くどい	① あの先生は何度も同じことを言って話がくどい。[話、説明が〜]
	② このソースはバターが大量に使われていて、少しくどい。[味、色が〜]
険しい	① あの山は険しくて、子供には登れない。[〜山道、坂]
	② コーチは険しい表情で試合を見ていた。[〜顔、顔つき、目つき]
純粋	① 純粋な日本犬が欲しい。[〜な民族、京都弁、温泉、物質]
	② 子供のころの純粋な気持ちを思い出す。[〜な人、愛、心]
粗末	① 彼は粗末な服を着ているが、実はお金持ちだ。[〜な家、食事、家具]
	② 最近は食べ物を粗末にする人が多い。[〜に扱う]
やかましい	① 工事の音がやかましくて、勉強できない。[声、音楽、子供が〜]
	② 彼女がたばこをやめろとやかましいから、禁煙することにした。[規則が〜]
	③ 部長は時間にやかましい人だから、遅刻は許されない。[マナー、時間に〜]

鋭い （するど）	① 鋭いナイフで胸を刺された。[〜歯、つめ、切れ味] ② 犬は人間より鼻や耳の感覚が鋭い。[勘、感覚が〜] ③ その虫に刺された瞬間、足に鋭い痛みを感じた。[〜攻撃、目つき] ④ いつも鋭い質問をしてくる学生がいる。[〜観察、分析、批判]
鈍い （にぶ）	① ナイフは古くなると、切れ味が鈍くなってしまう。 ② 起きたばかりのときは頭の回転が鈍い。[感覚、勘、運動神経が〜] ③ 二年前から胃の辺りに鈍い痛みを感じるようになった。[〜光、音] ④ 今日の田中選手は、疲れているせいか、動きが鈍い。[反応、動作が〜]
裏 （うら）	① 本の表紙の裏に名前を書く。 ② お客さんが来ているようだから、裏から入ろう。 ③ あの政治家は裏で不正なことをしている。
影 （かげ） 陰 （かげ）	① 誰もいないはずの部屋の窓に人の影が見えた。 ② 犬は鏡に映った自分の影を見て驚いた。 ③ 木の陰に座って涼もう。 ④ ドアの陰に誰かいるみたいだ。 ⑤ 母はいつも私を陰で支えてくれた。
型 （かた）	① ケーキの生地を型に入れて焼く。[〜を抜く、〜を取る、〜にはめる] ② テレビを新しい型のものに買い換えた。 ③ 年賀状は枚数が多いので、型通りのあいさつだけになってしまうことが多い。
形 （かたち）	① リンゴの形をしたクッキーを食べる。 ② 結婚式の形も時代とともに変わる。
波 （なみ）	① 今日は波が高いから、海に入らないほうがいい。 ② 高度経済成長の波に乗って、A社も大きく発展した。[時代、人の〜] ③ 景気には波があるから、いつかは回復する。[成績、需要、気分に〜がある]
幅 （はば）	① 道の幅が狭くて、車が通れない。 ② 大学に行ったほうが将来の選択の幅が広がる。[活動、興味、仕事の〜] ③ 安いのから高いのまで値段に幅がある。[点数、年齢、学力、気温の〜]
文句 （もんく）	① 注文したものが来ないので、店員に文句を言った。[〜を付ける、並べる] ② 広告の宣伝文句にだまされて、失敗した。[決まり〜、歌の〜]

Ⅱ．基本練習　≫

1 連語　一緒に使う言葉を覚えよう。

例のように一緒に使う言葉を線で結びなさい。

(1)　険しい・　　　　　・意見・質問・批判　　(2)　くどい　・　　　　　・天気・生活・海

純粋な・　　　　　・服装・食事・ベッド　　　　鋭い　　・　　　　　・色・味

粗末な・　　　　　・山・山道・坂　　　　　　　純粋な　・　　　　　・角・つめ・歯

鋭い　・　　　　　・気持ち・人・恋愛　　　　　穏やかな・　　　　　・温泉・物質

(3)　反応・動き・動作・　　　　・が荒い

　　　音・声・車・子供・　　　　・がやかましい

　　　息・呼吸・波　・　　　　・がくどい

　　　話・説明・文章・　　　　・が鈍い

2 意味　意味の広がりに気を付けよう。

（　　）に共通して入る言葉を　　　　　の中から一つ選び、必要なら形を変えて書きなさい。

(1)　| 粗い　険しい　やかましい　恐ろしい |

例　a　休みになると、「どこか連れて行って！」と子供たちが（　やかましい　）。

　　b　母が行儀に（　やかましい　）人だったおかげで、よく目上の人にほめられる。

①　a　途中までは楽な上り坂だったが、途中から道が（　　　　　　）なった。

　　b　病院に検査結果を聞きに行った母が、（　　　　　　）顔で帰ってきた。

②　a　安いタオルは目が（　　　　　　）よくない。

　　b　彼は仕事が速いがちょっと（　　　　　　）ので、ミスが多い。

③　a　先週、この辺で（　　　　　　）事件が起こったばかりだから、気を付けてね。

　　b　彼女はパソコンを打つのが（　　　　　　）速い。

(2)　| 荒い　　くどい　　鋭い　　鈍い |

①　a　あの先輩は説明が（　　　　　　）から、あまり質問したくない。

　　b　このお菓子、チーズの味がちょっと（　　　　　　）なあ。

②　a　買ったばかりの包丁なのに、もう切れ味が（　　　　　　）なってきた。

　　b　病気で指先の感覚が（　　　　　　）なったため、細かい作業ができない。

　　c　うちの猫は太っているので、動作が（　　　　　　）。

　　d　手術が終わった後も（　　　　　　）痛みが続いている。

③ a 今日は波が（　　　　　）から泳がないほうがいい。

　　b 先週給料をもらったのに、もう全部使ったなんて、お前は金遣いが（　　　　　）。

④ a この魚は、肉食動物のような（　　　　　）歯を持っている。

　　b 妻は勘が（　　　　　）から、うそをついてもすぐわかってしまう。

　　c この本は、現代の日本における学校教育を（　　　　　）批判している。

　　d 足の裏に（　　　　　）痛みを感じたので見てみたら、ガラスが刺さっていた。

(3) | 純粋 | 穏やか | 勝手 | 粗末 |

① a 貧しい人々は、町の外れの（　　　　　）家に住んでいる。

　　b ものを（　　　　　）に扱ってはいけないと、よく祖母にしかられる。

② a この旅館では、水道水などの入っていない、（　　　　　）温泉が楽しめる。

　　b 彼女は子供のような（　　　　　）心を持った人だ。

③ a 台風が近づいているとは思えないほど（　　　　　）天気だ。

　　b 彼のような（　　　　　）人でも、怒ることがあるのだろうか。

④ a 自分から食事に誘ったくせに、急に「眠いからやめる」とは、（　　　　　）人だ。

　　b 授業中は（　　　　　）おしゃべりはしないでください。

　　c パーティーなんて初めてだから、何をどうするのか（　　　　　）がわからない。

3 意味　名詞の意味を確認しよう。

□□の中から適当な言葉を選んで、（　　）に入れなさい。二回入る言葉もあります。

| 型 | 形 | 波 | 幅 | 裏 | 陰 | 影 | 文句 |

(1) 研究を論文の（　　　　　）にまとめて発表する。

(2) この地域は朝夕と昼間の気温差がかなりあり、一日の気温の（　　　　　）が大きい。

(3) 息子は気分に（　　　　　）があって、扱いにくい。

(4) この車はだいぶ（　　　　　）が古いので、修理してもらえないかもしれない。

(5) 「人生楽ありゃ苦もあるさ」という歌の（　　　　　）があるが、本当にその通りだ。

(6) あの木の下は（　　　　　）になっているから、少し涼しいよ。

(7) 英語が話せるようになったら、もっと仕事の（　　　　　）が広がるだろう。

(8) プリントアウトした写真の（　　　　　）に日付と場所を書いておいた。

(9) 花火を見に行ったのに、人の（　　　　　）に押されてゆっくり見られなかった。

(10) 冬は、昼でも太陽の位置が低いので、（　　　　　）が長くなります。

III. 実践練習 ≫

1. （　　）に入れるのに最もよいものを、1・2・3・4から一つ選びなさい。(1点×10問)

1 今回の実力テストの結果はよかったが、成績に（　　）があるので少し心配だ。

   1 波　　　　　　2 裏　　　　　　3 陰（かげ）　　　　　4 曲

2 日本で運転するのと（　　）が違うので、海外で運転するのは少し怖い。

   1 意識　　　　　2 形　　　　　　3 影（かげ）　　　　　4 勝手

3 ダイエット食品の広告の（　　）を信じて、姉はさっそく注文した。

   1 種　　　　　　2 文句（もんく）　　　3 陰（かげ）　　　　　4 説

4 上田さんは（　　）仕事ができる人だから、頼りになる。

   1 するどく　　　2 おそろしく　　3 やかましく　　4 ふさわしく

5 せっかく生まれてきたのだから、命を（　　）してはいけない。

   1 必死に　　　　2 強引に　　　　3 純粋（じゅんすい）に　　4 粗末（そまつ）に

6 私は、人を助けたいという（　　）気持ちで医者になったわけではない。

   1 適度な　　　　2 勝手な　　　　3 荒（あら）い　　　　4 純粋（じゅんすい）な

7 私の日記を（　　）読むなんて、いくら母でも許せない。

   1 おそろしく　　2 くどく　　　　3 素直（すなお）に　　　4 勝手に

8 息子はまだ十歳なのに、たまに（　　）意見を言うのでびっくりする。

   1 するどい　　　2 あらい　　　　3 したしい　　　4 にぶい

9 その宿の部屋には、（　　）ベッドが一つあるだけで、ほかに何もなかった。

   1 粗末（そまつ）な　　2 乏（とぼ）しい　　　3 穏（おだ）やかな　　4 大幅な

10 あの私立高校は規則が（　　）から、ほかの学校に入学したい。

   1 あらい　　　　2 おだやかだ　　3 せまい　　　　4 やかましい

2. ＿＿の言葉に意味が最も近いものを、1・2・3・4から一つ選びなさい。(1点×5問)

1 彼はかげでいつも部長の悪口を言っている。

   1 一人で　　　　2 目の前で　　　3 大声で　　　　4 裏で

2 ここは田舎（いなか）なので、夕方になると鳥の声がやかましい。

   1 近い　　　　　2 おかしい　　　3 うるさい　　　4 きれいだ

3 昨日、友人からおそろしい話を聞いた。

   1 おもしろい　　2 こわい　　　　3 かなしい　　　4 いい

4 この魚だけほかの魚と違って動きがにぶい。

   1 遅い　　　　　2 速い　　　　　3 ない　　　　　4 激（はげ）しい

5 この料理はソースの味がくどいですね。

   1 珍しい　　　　2 おいしい　　　3 しつこい　　　4 薄い

3. 次の言葉の使い方として最もよいものを、1・2・3・4から一つ選びなさい。(2点×5問)

1 おだやか

1 この山道はおだやかだから、子供でも登れる。

2 今日はおだやかな天気で気持ちがいい日だ。

3 道はこの先、おだやかなカーブになっている。

4 規則がもう少しおだやかだったらいいのに。

2 型

1 最近は子供が少なくなり、家族の型が変わってきた。

2 両親の希望で、私たちは型通りの結婚式を行った。

3 この町には不思議な型のビルがたくさんあって面白い。

4 型だけの会議なら、しなくてもいい。

3 あらい

1 一か月家を離れていたら、庭がすっかりあらくなってしまった。

2 このシャツ、手作りだそうだけど、ちょっと作りがあらいなあ。

3 今日は天気が悪くて山があらいから、ハイキングは中止しよう。

4 あらい家に住んでいても、家族はとても幸せそうだ。

4 けわしい

1 彼が今日学校に来るかどうか、けわしい。

2 最近、公園にけわしい人がいるので、子供を連れていけない。

3 去年から交通規則がけわしくなったので、気を付けて運転しよう。

4 部長は、会社ではけわしい顔ばかりしているが、家では優しい父親らしい。

5 幅

1 生まれて幅がない赤ちゃんは、まだほとんど目が見えない。

2 部長は気分に幅があって、機嫌が悪いときは何をしてもしかられる。

3 この病気にかかった人の年齢は、二十五歳から九十歳と、かなり幅がある。

4 家から駅までは少し幅があるので、バスに乗ったほうがいい。

2章　意味が似ている言葉　| 1課　副詞・形容詞

I．言葉と例文 》》

1 ウォーミングアップ

「急に」を別のどんな表現に変えると、もっと驚いた感じになりますか。──

　　誰もいないと思っていた部屋から急に人が飛び出してきたので、驚いた。

2 言葉

<table>
<tr><td colspan="2">

1. 副詞的表現

</td></tr>
<tr><td>

① 仕事を探すために (**あらゆる**・すべての) 就職情報誌をチェックしている。

② 自分の気持ちを正直に (**すべて**・全部) 話した。

③ 結論が出るまで (**相当**・かなり・随分) 時間が掛かりそうだ。

④ 九月の下旬になり、(**幾分**・若干・少し) 涼しくなってきた。

⑤ 台風が近づいてきているので、明日は雨が (**一段と**・一層・更に・もっと) 強くなるだろう。

⑥ 友人との海外旅行を (**うんと**・大いに・とても) 楽しんだ。

⑦ 私の話を (**ちっとも**・まったく・全然) 聞いてくれない。

⑧ 親友と言えるのは (**せいぜい**・多くても) 五人くらいだ。

⑨ 雨の日以外は、(**ほぼ**・大体) 毎日走っている。

⑩ 予定の時刻より (**やや**・少し) 遅れて、到着した。

⑪ 彼はどんなことがあっても (**常に**・いつも) 冷静だ。

⑫ (**いずれ**・そのうち) 社会に出れば、わかるだろう。

⑬ めったに怒らないが、(**いったん**・一度) 怒り出すと、一週間くらい機嫌が悪い。

⑭ (**いよいよ**・とうとう) 日本へ出発する日になった。

⑮ (**間もなく**・そろそろ・もうすぐ) 出発の時間です。

⑯ (**既に**・とっくに・もう) レポートは提出した。

⑰ オリンピックが近づくと (**にわかに**・急に・突然) スポーツに関心を持つ人が増える。

⑱ (**再三**・何度も) 注意したが、まったく直そうとしない。

⑲ (**たびたび**・しばしば・よく・何度も) 先生に相談に乗ってもらった。

⑳ (**しょっちゅう**・頻繁に・年中)、海外旅行に行っている。

㉑ コンピューターは (**たまに**・まれに・ときどき) 動かなくなることがある。

㉒ 彼は (**単なる**・ただの) 友人ではなく、大切な親友だ。

㉓ 行くかどうかわからないが、(**とりあえず**・一応) パンフレットだけもらった。

㉔ ちょっとぶつかっただけなのに、(**大げさに**・オーバーに) 痛がっている。

</td></tr>
</table>

㉕ (**安易に**・簡単に) 何でも引き受けると大変ですよ。

㉖ 友人の秘密を (うっかり・**思わず**・つい) 話してしまった。

㉗ ミーティングで (**お互いに**・相互に) 意見を交換した。

㉘ 七月になって新型のテレビが (**相次いで**・続々と・次々と) 発売されている。

㉙ (**あれこれ**・いろいろと) 見たが、結局、最初にいいと思ったものを買った。

㉚ 世界中を (ほうぼう・**あちこち**) 旅行して経験したことを小説に書いた。

㉛ 計画は (**順調に**・スムーズに・問題なく・予定通りに) 進んでいます。

㉜ (**強引に**・無理やり・無理に) お願いして、引き受けてもらった。

㉝ 彼はいつも遅刻する。(**案の定**・やはり・予想通り)、今日も遅刻してきた。

㉞ あの先輩は親切なので、(**恐らく**・多分) 相談に乗ってくれるだろう。

㉟ (**およそ**・約) 百名の出席者がいた。

2. 形容詞的表現

① 前に貸したお金をまだ返していないのに、また貸してほしいと言うなんて、(**厚かましい**・ずうずうしい)。

② 彼はとても (**内気**・シャイ・恥ずかしがり) で、人の前で話すのは苦手らしい。

③ 子供たちの (**生き生きした**・活発な・元気な) 様子を見ることができた。

④ 隣の部屋の人が (**騒がしくて**・やかましくて・うるさくて)、眠れない。

⑤ あの親子は、本当に (**そっくりだ**・似ている)。

⑥ この作家の表現力は (**見事だ**・すばらしい)。

⑦ 子供のころのことなので、記憶が (**あいまいだ**・はっきりしない)。

⑧ 子供のようにわがままを言うのは (**みっともない**・恥ずかしい)。

⑨ (**厄介な**・面倒な) 問題が起きないように、よく考える必要がある。

⑩ (**思いがけない**・意外な) ところで高校時代の友達と会った。

⑪ こんなチャンスが来ることは、(**まれだ**・珍しい・めったにない・ほとんどない。)

⑫ まだ時間はあるので、少し休んでも (**差し支えない**・問題ない・かまわない) だろう。

⑬ すぐに手術をしなければ、命が (**危うい**・危険な・危ない) 状態だった。

⑭ そういう事情であれば (**やむをえない**・しようがない・しかたがない) ですね。

⑮ そんなに (**わがままな**・勝手な) ことを言ったら、みんなが困ってしまいますよ。

1 意味　意味を確認しよう。

例のように意味の近い言葉を線で結びなさい。

(1)　頻繁に　　　　　　　・いつも　　　　(2)　一段と　・　　　　・とても

　　常に　　　　・　　　・しょっちゅう　　　まったく・　　　　・スムーズに

　　にわかに　　・　　　・もう　　　　　　　順調に　・　　　　・大体

　　たまに　　　・　　　・急に　　　　　　　大いに　・　　　　・全然

　　既に　　　　・　　　・まれに　　　　　　ほぼ　　・　　　　・更に

(3)　そっくりな　・　　　・わがままな　(4)　間もなく・　　　　・少し

　　危うい　　　・　　　・うるさい　　　　　うっかり・　　　　・つい

　　騒がしい　　・　　　・似ている　　　　　強引に　・　　　　・無理に

　　思いがけない・　　　・危険な　　　　　　安易に　・　　　　・そろそろ

　　勝手な　　　・　　　・意外な　　　　　　若干　　・　　　　・簡単に

2 意味　意味の違いに気を付けよう。

　□□□の中から適当な言葉を選んで、（　　　）に入れなさい。

(1)　| 常に　　相当　　ほうぼう　　いずれ |

　　① 同じような事件が（　　　　　　）で起きている。

　　② 兄は（　　　　　）疲れていたらしく、座ったとたん寝てしまった。

　　③ （　　　　　）わかってしまうことだから、きちんと説明したほうがいい。

　　④ 自分の将来のために（　　　　　）努力し続けている。

(2)　| 再三　　案の定　　幾分　　相互に |

　　① このデータから見ると、この二つの問題は（　　　　　）関連しているようだ。

　　② レポートの締め切りが延びて、（　　　　　）楽になった。

　　③ （　　　　　）説明したのに、また同じ質問をされて、嫌になってしまった。

　　④ 朝からずっと曇っていたが、（　　　　　）夕方になって雨が降り始めた。

(3)　| そっくり　　シャイ　　厄介　　まれ |

　　① あの人は私のいとこに（　　　　　）だけど、ここにいるはずはない。

　　② 彼は（　　　　　）な人だが、必要なときには自分の意見をはっきりと言う人だ。

　　③ 問題をこのままにしておくと、（　　　　　）なことになるだろう。

　　④ 東京で30センチ以上の雪が降るのは（　　　　　）だ。

(4)

みっともない　　やかましい　　厚かましい　　思いがけない

① （　　　　　　　　）お願いですが、明日、お宅にお伺いしてもよろしいでしょうか。

② 自分の失敗を認めないで、言い訳ばかりするのは（　　　　　　　）ことだと思う。

③ 最近、朝早くから鳥の鳴き声が（　　　　　　　）ので、早く目が覚めてしまう。

④ 長い人生の中では（　　　　　　　）ことが起きることがある。

(5)

すべて　　安易に　　相次いで　　間もなく

① （　　　　　　　　）講演が始まりますので、席にお座りください。

② 人の話を（　　　　　　　）何でも信じるのではなく、自分で確かめたほうがいい。

③ 試験が（　　　　　　　）終わったので、これでゆっくり眠れる。

④ 最近、近所の家が（　　　　　　　）泥棒に入られたらしい。

3 連語　　言葉のつながりを考えよう。

☐☐から最も適当なグループを選び、＿＿＿に入れなさい。

(1)

にわかに・急に　　　~~ほぼ・大体~~
およそ・約　　　たびたび・よく　　　あれこれ・いろいろと

㋑　　＿ほぼ・大体＿　　　毎週している・同じだ

①　＿＿＿＿＿＿＿＿＿＿　状況が悪くなる・雨が降り出す

②　＿＿＿＿＿＿＿＿＿＿　三時間の話を聞く・十万円だ

③　＿＿＿＿＿＿＿＿＿＿　同じことが起きる・家を訪れる

④　＿＿＿＿＿＿＿＿＿＿　文句（もんく）を言う・悩む

(2)

突然・急に　　　再三・何度も
しょっちゅう・年中　　　幾分（いくぶん）・少し　　　あちこち・ほうぼう

①　＿＿＿＿＿＿＿＿＿＿　友人が来た・泣き出した

②　＿＿＿＿＿＿＿＿＿＿　でかける・から集まってくる

③　＿＿＿＿＿＿＿＿＿＿　映画を見る・病気になる

④　＿＿＿＿＿＿＿＿＿＿　よくなる・違う

⑤　＿＿＿＿＿＿＿＿＿＿　お願いする・申し上げる・強調する

1.　＿＿の言葉に意味が最も近いものを、1・2・3・4から一つ選びなさい。(1点×25問)

1 日本に行くのが夢だったが、とうとう明日が日本に行く日だ。
　　1　いよいよ　　　　2　そろそろ　　　　3　だいたい　　　　4　ちかぢか

2 問題を解いてみたが、正解したのはせいぜい二割くらいだと思う。
　　1　多くても　　　　2　少なくても　　　3　高くても　　　　4　低くても

3 平和に解決するため、あらゆる手段を使った。
　　1　たくさんの　　　2　しょっちゅう　　3　すべての　　　　4　とりあえず

4 これから二時間、食べ放題ですからおおいに食べてください。
　　1　うんと　　　　　2　もっと　　　　　3　ずっと　　　　　4　すべて

5 この資料をもう一部もらっても、かまわないかな？
　　1　いけない　　　　2　思いがけない　　3　さしつかえない　4　しかたない

6 あまり好きでない人に好きだと言われても、全然うれしくない。
　　1　めったに　　　　2　ちっとも　　　　3　相当　　　　　　4　若干

7 こんな見事な作品は見たことがない。
　　1　かわった　　　　2　あいまいな　　　3　すばらしい　　　4　おもしろい

8 今では、携帯電話は単なる連絡手段ではなくなった。
　　1　簡単な　　　　　2　珍しい　　　　　3　ただの　　　　　4　厄介な

9 指示があいまいだと、こちらの考えが伝わらない。
　　1　やかましい　　　2　はっきりしない　3　難しい　　　　　4　思いがけない

10 駅に着いたときにはすでに新幹線は出発していた。
　　1　とうとう　　　　2　とりあえず　　　3　とっくに　　　　4　そろそろ

11 今年になって経済状態はさらに回復してきた。
　　1　幾分　　　　　　2　相当　　　　　　3　割合　　　　　　4　一層

12 公園で子供たちが元気に遊んでいる様子を見ていた。
　　1　生き生きと　　　2　騒がしく　　　　3　健康に　　　　　4　見事に

13 今のアパートより駅からやや遠くなるが、環境がよかったので、この部屋に決めた。
　　1　かなり　　　　　2　少し　　　　　　3　ほぼ　　　　　　4　とても

14 強引に勧められて、必要がないものまで買わされてしまった。
　　1　うっかりと　　　2　にわかに　　　　3　意外に　　　　　4　無理やり

15 今、東京で働いているが、いずれ田舎に戻って父の仕事を手伝うつもりだ。
　　1　きっと　　　　　2　そのうち　　　　3　そろそろ　　　　4　おそらく

16 いったん話し合いを終わりにして、三十分休憩をしてからまた始めましょう。
　　1　一度　　　　　　2　単に　　　　　　3　一応　　　　　　4　少し

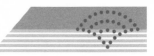

/**25点**

17 同じ悩みを持つ人が<u>相互</u>に励まし合って、頑張っている。

    1　おたがいに　　　　2　つぎつぎに　　　　3　また　　　　　　4　しょっちゅう

18 ダイエット中だったが、あまりにもおいしそうだったので、<u>思わず</u>買ってしまった。

    1　いったん　　　　　2　つい　　　　　　　3　おおいに　　　　4　やっぱり

19 パスワードを<u>しばしば</u>変更すると、現在のパスワードがわからなくなることがある。

    1　どんどん　　　　　2　たまに　　　　　　3　次々と　　　　　4　たびたび

20 <u>一応</u>計画したが、まだ行くかどうか決めていない。

    1　すでに　　　　　　2　とりあえず　　　　3　ずいぶん　　　　4　あらかじめ

21 歌手が病気になってしまったので、コンサートが中止になるのは<u>しかたがない</u>だろう。

    1　めずらしくない　　2　やむをえない　　　3　かまわない　　　4　さしつかえない

22 このまま<u>順調</u>にいけば、あと一時間でこの仕事は終わります。

    1　活発に　　　　　　2　簡単に　　　　　　3　事前に　　　　　4　予定通りに

23 自分の要求は少しぐらい<u>大げさ</u>に言わないと、聞いてもらえない。

    1　カバー　　　　　　2　パターン　　　　　3　オーバー　　　　4　スムーズ

24 <u>おそらく</u>犯人はまだビルから出ていないだろう。

    1　たぶん　　　　　　2　せいぜい　　　　　3　しばらく　　　　4　いったん

25 もう少し頑張らないと、今のままでは合格は<u>危ない</u>ですよ。

    1　あやしい　　　　　2　あやうい　　　　　3　やかましくない　4　やさしくない

I. 言葉と例文 ≫

1 ウォーミングアップ

（　　　）に入る言葉は？──

A：駅でシャンプーの「しきょうひん」を配ってたから、一つあげるよ。

B：「しきょうひん」って何？

A：「さんぷる」のことだよ。

B：「さんぷる」っていう言葉もわからないんだけど……

A：（　　　　　　）のことだよ。

B：ああ、やっとわかった。

2 言葉

1. 名詞
① みんなで話しているといい（**アイデア**・考え）が出てくる。
② 留守番電話に（**伝言**・メッセージ）を残す。
③ （**真実**・事実・本当のこと）を明らかにする必要がある。
④ そのうわさは（**でたらめだ**・うそだ・本当ではない）と思う。
⑤ （**チャンス**・機会）があれば、海外で働いてみたい。
⑥ これまでの資金の（**用途**・使い道）について報告する。
⑦ （**各々**・それぞれ）の考えを自由に話す機会を作った。
⑧ （**打ち合わせ**・ミーティング・会議）は午後二時から始めます。
⑨ 客からの（**苦情**・クレーム・文句）が新しい商品のアイデアになることがある。
⑩ 私の両親は（**礼儀**・マナー）に厳しかった。
⑪ プロの選手は（**訓練**・トレーニング・練習）をし続ける必要がある。
⑫ 来週の（**スケジュール**・予定）を確認する。
⑬ 新しい技術の開発が（**契機**・きっかけ）となり、会社が発展していった。
⑭ 経済は自分の専門の（**分野**・ジャンル）ではないので、よくわからない。
⑮ （**娯楽**・レジャー）にどれくらいのお金と時間を使っていますか。
⑯ このホテルは窓から見える（**眺め**・風景・景色）がとてもすばらしい。
⑰ 化粧品の（**試供品**・サンプル・見本）をもらった。
⑱ 両親の（**援助**・サポート・助け）がなければ、留学できなかった。

2. 動詞

① 昨年の優勝チームを（**破った・負かした**）。

② 面接で（**あがって・緊張して**）しまい、質問にきちんと答えられなかった。

③ 失礼な態度を取られて、（**頭に来た・腹が立った・怒った**）。

④ 少し（**冷静になって・頭を冷やして・落ち着いて**）から話し合ったほうがいいだろう。

⑤ どうしてそんなに（**落ち込んで・へこんで・がっかりして**）いるんですか。

⑥ 自分が支持する政治家の不正のニュースを聞き、（**失望した・がっかりした**）。

⑦ 学生時代にしっかり勉強しなかったことを（**悔やんで・後悔して**）いる。

⑧ 世界には（**驚く・びっくりする**）ことがたくさんある。

⑨ こちらのミスを（**お詫びする・謝る**）。

⑩ お互いに自分の考えを（**主張した・言い張った**）ので、結論が出なかった。

⑪ 彼は「そんなはずはない」と言って自分の考えを（**打ち消した・否定した**）。

⑫ あなたの熱意には（**参りました・負けました**）。仕事を引き受けましょう。

⑬ 畑で取れたばかりのニンジンを新聞紙で（**くるんで・包んで**）持って帰った。

⑭ 重い荷物を（**担いで・背負って**）、山に登る。

⑮ 財布を忘れてきたことに気付き、家に（**引き返した・戻った**）。

⑯ （**移転した・転居した・引っ越した**）ところの住所をお知らせします。

⑰ 朝からずっと立ちっぱなしで（**くたびれた・疲れた**）。

⑱ 自宅に帰って家族といるときが、一番（**くつろぐ・リラックスする**）時間だ。

⑲ ピアノの練習を（**怠けて・サボって**）いたら、上手に弾けなくなってしまった。

⑳ 一時、命が危なかったが、少しずつ（**回復して・持ち直して・よくなって**）きた。

㉑ 間違いに気づいたので、資料を提出する前に（**訂正した・修正した・直した**）。

㉒ 売り上げによって生産量を（**調整する・コントロールする**）。

㉓ 将来、社会に（**貢献する・役に立つ**）活動をしたいと考えている。

㉔ 現在、携帯電話の利用は子供にまで（**普及している・広まっている**）。

㉕ 調査結果は、私の予測と（**一致していた・ぴったりだった・同じだった**）。

㉖ 新聞各紙は選挙結果を一斉に（**報じた・伝えた**）。

Ⅱ．基本練習 ≫

1 意味　　意味を確認しよう。

例のように意味の近い言葉を線で結びなさい。

(1)　訓練　　　　　　　　・メッセージ　　　(2)　でたらめ　・　　　　・機会
　　　眺め　　　・　　　・使い道　　　　　　　チャンス　・　　　　・見本
　　　伝言　　　・　　　・トレーニング　　　　娯楽　　　・　　　　・ミーティング
　　　クレーム　・　　　・風景　　　　　　　　打ち合わせ・　　　　・本当ではない
　　　用途　　　・　　　・文句　　　　　　　　サンプル　・　　　　・レジャー

(3)　驚く　　　　・　　・失望する　　　　(4)　訂正する　・　　　　・疲れる
　　　サポート　・　　　・リラックスする　　　お詫びする・　　　　・直す
　　　くつろぐ　・　　　・びっくりする　　　　持ち直す　・　　　　・謝る
　　　調整する　・　　　・コントロールする　　移転する　・　　　　・よくなる
　　　がっかりする・　　・助け　　　　　　　　くたびれる・　　　　・引っ越す

2 意味　　意味の違いに気を付けよう。

☐☐☐の中から適当な言葉を選び、必要なら形を変えて（　　　）に入れなさい。

(1)　| 試供品　　分野　　チャンス　　きっかけ |

　　① 新製品が出ると、いつも（　　　　　　）をもらって試してみる。

　　② 私が日本語を勉強しようとした（　　　　　　）は、日本の映画を見たことだ。

　　③ あなたの専門の（　　　　　）は何ですか。

　　④ 国の試験に合格して、ずっと望んでいた留学の（　　　　　　）をとうとうつかんだ。

(2)　| 打ち合わせ　　使い道　　トレーニング　　スケジュール |

　　① 初めての給料の（　　　　　　）を考えた結果、両親にプレゼントを買うことにした。

　　② 明日の（　　　　　）の資料を二十部印刷する。

　　③ みんなの（　　　　　　）を聞いてから、時間を決めます。

　　④ 毎日の（　　　　　）の結果、速く走れるようになった。

(3)　| 打ち消す　　引き返す　　あがる　　一致する |

　　① 大勢の人の前に出たら、（　　　　　　）しまって頭が真っ白になってしまった。

　　② 不安を（　　　　　）ために、仕事に集中した。

　　③ これまで全員の意見が（　　　　　）ことは、ほとんどない。

　　④ 工事中で通れなくなっていたので、（　　　　　）しかなかった。

(4)

持ち直す　リラックスする　言い張る　驚(おどろ)く

① どんな人にも（　　　　　）時間を作ることは必要だ。

② 突然、知らない人に名前を呼ばれて、（　　　　　）。

③ 彼は自分の考えを（　　　　　）変えないので、みんなが困っている。

④ 祖父はお医者さんの適切な治療のおかげで、何とか（　　　　　）。

(5)

サポート　転居　伝言　レジャー

① 昨日、大阪から名古屋に（　　　　　）しました。

② 帰ったら電話をしてほしいと（　　　　　）を頼んだ。

③ 先輩(せんぱい)が（　　　　　）してくれたので、助かった。

④ 昔は今のように多くの人が楽しめる（　　　　　）は少なかった。

3 連語　言葉のつながりを考えよう。

□から適当なグループを選び______に入れなさい。（　）に助詞を入れなさい。

(1)

~~担ぐ・背負う~~　コントロールする・調整する 悔(く)やむ・後悔(こうかい)する　貢献(こうけん)する・役立つ　参る・負ける

例 かばん・荷物（ を ） 担ぐ・背負う

① 社会・研究の発展（　） ______________

② 仕事・室温（　） ______________

③ 熱意・暑さ（　） ______________

④ 失敗・会社を辞めたこと（　） ______________

(2)

普及(ふきゅう)する・広まる　報じる・伝える 怠(なま)ける・サボる　破る・負かす　お詫(わ)びする・謝(あやま)る

① 事件・ニュース・勝利（　） ______________

② 新しい通信手段・環境保護(かんきょうほご)の考え方（　） ______________

③ 相手チーム・敵(てき)（　） ______________

④ ミス・迷惑(めいわく)をかけたこと（　） ______________

⑤ 練習・勉強（　） ______________

Ⅲ. 実践練習 ≫

1. ＿＿の言葉に意味が最も近いものを、１・２・３・４から一つ選びなさい。(1点×25問)

1 新しい製品に対するあなたの考えはとても面白かった。
　　1　サンプル　　　　2　クレーム　　　　3　サポート　　　　4　アイデア

2 大地震を契機として消防の体制を新たにした。
　　1　きっかけ　　　　2　チャンス　　　　3　予定　　　　　　4　中心

3 1990年代になってインターネットが一般の家庭に普及し始めた。
　　1　拡大し　　　　　2　入り　　　　　　3　広まり　　　　　4　準備し

4 明日、データを修正した文書を再提出します。
　　1　書いた　　　　　2　改善した　　　　3　直した　　　　　4　復習した

5 私はどうしても真実が知りたい。
　　1　正しいこと　　　2　本当のこと　　　3　真面目なこと　　4　役に立つこと

6 工事現場の騒音に対するクレームが近所から出ている。
　　1　事実　　　　　　2　苦情　　　　　　3　意見　　　　　　4　結論

7 彼は試験に落ちてしまったので、落ち込んでいる。
　　1　うちけして　　　2　へこんで　　　　3　にげて　　　　　4　くやんで

8 何度も約束を破るので、腹が立って、文句を言った。
　　1　頭に来て　　　　2　気が短くて　　　3　頭を上げて　　　4　気に入らなくて

9 六十階のここからの眺めはとてもすばらしい。
　　1　ジャンル　　　　2　景色　　　　　　3　写真　　　　　　4　レジャー

10 私が希望する条件と一致していたので、すぐに応募した。
　　1　そろっていた　　2　ぴったりだった　3　そっくりだった　4　ととのっていた

11 この会社では各々の資格や経験を生かして働いている。
　　1　お互いの　　　　2　あれこれの　　　3　個人の　　　　　4　それぞれの

12 人と会ったらあいさつをするのは、最低限の礼儀だと思う。
　　1　プラン　　　　　2　サイン　　　　　3　マナー　　　　　4　メニュー

13 重い荷物を担いで、一階から五階まで何回も往復した。
　　1　背負って　　　　2　運んで　　　　　3　積んで　　　　　4　持って

14 裁判で明らかになった事件の背景が新聞で報じられた。
　　1　読んだ　　　　　2　知らされた　　　3　伝えられた　　　4　わかった

15 仕事をなまけていたら、残業することになってしまった。
　　1　たのんで　　　　2　サボって　　　　3　とめて　　　　　4　すすめて

16 失敗するかもしれないという不安を、彼は必死に打ち消そうとしていた。
　　1　訂正しよう　　　2　悔やもう　　　　3　否定しよう　　　4　あげよう

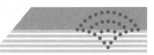

17 延長戦の結果、相手チームを1対0で<u>破った</u>。

 1 負けた   2 負かした   3 逆転した   4 終わった

18 そんな<u>でたらめ</u>を言っても、誰（だれ）も信じないと思う。

 1 うそ   2 うわさ   3 事実   4 約束

19 ボランティア活動が地域の安全に<u>貢献（こうけん）した</u>。

 1 関係があった   2 備えた   3 保った   4 役に立った

20 焼いた肉を野菜で<u>くるんで</u>、食べるとおいしいです。

 1 入れて   2 おおって   3 つつんで   4 はさんで

21 なぜもう一度確認しなかったのかと<u>後悔（こうかい）した</u>。

 1 あやまった   2 くやんだ   3 おわびした   4 つたえた

22 一日中、子供の世話をして、<u>くたびれて</u>しまった。

 1 疲れて   2 くつろいで   3 サボって   4 へこんで

23 さまざまな<u>分野（きょうみ）</u>に興味を持つことは、いいことだと思う。

 1 サンプル   2 ジャンル   3 チャンス   4 レジャー

24 自分の考えを<u>主張</u>するだけでは、人を納得（なっとく）させることはできない。

 1 言い合う   2 言い出す   3 言（い）い掛（か）ける   4 言い張る

25 <u>冷静に</u>なれば、自分のしていることがおかしいことに気付くだろう。

 1 落ち着けば   2 順調になれば   3 慌（あわ）てなければ   4 静かにすれば

3章 形が似ている言葉

I. 言葉と例文 ≫

1 ウォーミングアップ

パソコンが壊れたので、電気店に持っていきました。──

　　こちらで、パソコンの（ 修正　修理　訂正 ）って、お願いできますか。

2 言葉

		1. 和語
①	**あきれる**	彼女の成績のひどさには、あきれてしまった。[無責任さ、発言、友人に〜]
②	**あきる**	毎日、カレーばかりで、あきてしまった。[勉強、仕事、長い話に〜]
③	**あきらめる**	彼は病気のために、大学受験をあきらめた。[進学、夢、結婚を〜]
④	**あこがれる**	彼女はずっと日本の生活にあこがれていた。[スター、結婚、働く姿に〜]
⑤	**気軽**（な）	気軽にその仕事を引き受けたが、大変だった。[雰囲気、店、気持ち]
⑥	**気楽**（な）	テストの前に飲みに行くなんて、気楽だね。[生活、身分、毎日]
⑦	**気まぐれ**（な）	田中さんの気まぐれには付き合いきれない。[性格、行動、天気]
⑧	**気まずい**	会話が続かず、気まずい雰囲気になった。[雰囲気、空気、関係]
⑨	**やかましい**	工事の音がやかましく、話ができなかった。[鳴き声、女、世論]
⑩	**あつかましい**	またお金を借りに来るとは、あつかましい。[態度、要求、やつ]
⑪	**あわただしい**	今日はお客が多く、あわただしい一日だった。[生活、日程、食事]
⑫	**たくましい**	彼はたくましい体をしていた。[若者、背中、姿]
⑬	**たのもしい**	彼が試合に出てくれるとはたのもしい限りだ。[先輩、味方、存在]
⑭	**今さら**	今さら会議に出席できないと言われても、困る。
⑮	**今にも**	その木は風で今にも倒れそうだった。
⑯	**今や**	普通の大学生だった彼も今や有名作家だ。
⑰	**未だに**	大人になっても、未だに漫画を読んでいる。
⑱	**何だか**	窓を開けてるのに、何だか部屋が暑いね。
⑲	**何とか**	何とか今年中に就職先を見つけたい。
⑳	**何となく**	何となくこの店の味が好きなんだなあ。
㉑	**何とも**（〜ない）	彼のことなんか、何とも思っていない。
㉒	**何しろ**	今年の夏は何しろ暑いから、体に気を付けて。

2. 漢語

① 改正（する）	留学生に関する法律が改正された。	［規則、条例、制度を～］
② 改革（する）	会社の組織を改革して、社員を減らした。	［制度、意識、社会を～］
③ 改善（する）	食生活を改善することで、健康を取り戻した。	［体質、収益、待遇を～］
④ 改良（する）	この車は改良されて、前より静かになった。	［機械、技術、品種を～］
⑤ 改造（する）	エンジンを改造して、前より速くなった。	［自動車、パソコン、内閣を～］
⑥ 改築（する）	ガレージを改築して、書斎を作った。	［建物、二階、学校を～］

⑦ 修理（する）	この時計は修理すれば、まだ使える。	［機械、靴、パンクを～］
⑧ 修正（する）	企画書の表をわかりやすいものに修正した。	［写真、内容、予想を～］
⑨ 訂正（する）	試験問題に一部訂正があります。	［発言、記事、誤字を～］

⑩ 休暇	休暇中は沖縄に旅行に行った。	［～を取る、過ごす、楽しむ］
⑪ 休息（する）	休息を取らずに、仕事をしていては体を壊します。	［～を挟む、楽しむ、得る］
⑫ 休業（する）	都合により本日は休業させていただきます。	［～に入る、追い込まれる］
⑬ 休憩（する）	五分休憩してから、また授業を始めます。	［～を挟む、取る、入れる］
⑭ 休養（する）	温泉で十分休養を取ることができた。	［～を挟む、与える、勧める］

⑮ 評価（する）	その映画は海外でも評価されている。	［作品、結果、生徒を～］
⑯ 評判	そのレストランは今評判の店だった。	［～がいい、立つ、落ちる］
⑰ 評論	日本の教育問題についての評論を読んだ。	［～を書く、読む、加える］
⑱ 批判（する）	山田氏は政府の政策を批判している。	［政府、考え、態度を～］
⑲ 批評（する）	彼の小説についての批評が雑誌に出ていた。	［作品、本、映画を～］

⑳ 適当（な）	野菜を適当な大きさに切ってください。	［相手、時期、言い訳］
㉑ 適切（な）	学生に適切な指導を行ってください。	［対応、判断、アドバイス］
㉒ 適度（な）	適度な運動がダイエットには欠かせません。	［アルコール、甘さ、緊張］
㉓ 適応（する）	仕事の内容が変わったが、すぐ適応できた。	［環境、状況、変化に～］

㉔ 有効（な）	この病気に有効な治療薬はまだない。	［手段、方法、対策］
㉕ 有能（な）	我が社には有能な社員が大勢いる。	［部下、政治家、人材］
㉖ 有利（な）	先に点を取って、試合を有利に進めたい。	［条件、立場、証言］
㉗ 有望（な）	彼女は優秀で、将来有望な社員だった。	［新人、研究者、市場］
㉘ 有力（な）	彼は次の社長の有力な候補だ。	［手がかり、説、政治家］

II. 基本練習 ≫

1 連語 一緒に使う言葉を覚えよう。

例のように一緒に使う言葉を線で結びなさい。

(1) 同じ味・長話 ・ ・にあきれる　(2) 気軽な ・ ・空気・沈黙
　　頑固さ・無神経さ ・ ・にあきる 　　気楽な ・ ・料金・お店
　　就職・受験・人生 ・ ・をあきらめる 　　気まずい ・ ・生活・商売

(3) やかましい ・ ・お願い・態度 (4) 計画・画像・ ・を修理する
　　あつかましい ・ ・音・声・携帯 　　機械・電話・ ・を修正する
　　あわただしい ・ ・毎日・一日 　　誤り・発言・ ・を訂正する

(5) 三分間・午後・昼 ・ ・の休養 (6) 評判を ・ ・浴びる・強める
　　三週間・年末年始 ・ ・の休憩 　　評価を ・ ・下す・与える
　　三年間・心・身体 ・ ・の休暇 　　批判を ・ ・呼ぶ・取る

2 意味 意味の違いに気を付けよう。

□□□の中から適当な言葉を選んで、（　　　）に入れなさい。

(1) | 有効　　有能　　有利 |

　① 彼女は、仕事のできる、とても（　　　　　　）な秘書だった。

　② この割引券の（　　　　　　）期限は明日だ。急いで買い物に行かないと。

　③ 資格を持っていたほうが、就職には（　　　　　　）です。

(2) | 適当　　適切　　適度 |

　① 今回のプロジェクトのリーダーには、山田課長が（　　　　　　）だろう。

　② （　　　　　　）な治療を受けないと、病気は治りませんよ。

　③ （　　　　　　）な睡眠と食事によって、健康は保たれる。

(3) | あきれて　　あこがれて　　あきらめて |

　① ここで（　　　　　　）しまったら、今までの努力がすべて無駄になってしまう。

　② あいさつもせずに、いきなりお金を貸してくれという友人に、（　　　　　　）しまった。

　③ 私は、あの人に（　　　　　　）、野球を始めたんですよ。

(4) | 今さら　　今にも　　今や |

　① （　　　　　　）そんなこと言われても、もう遅いよ。

　② 地震のせいで、ビルが（　　　　　　）倒れそうだ。

　③ あんなに人気のあったアイドルが、（　　　　　　）犯罪者だ。世の中、わからない。

(5) 改正　　改良　　改善

① ネット犯罪に対応するために、法律が（　　　　　　　）された。

② エンジンの（　　　　　　　）により、二酸化炭素の量を50%減らすことに成功した。

③ 新しい道路が造られて、都心へ向かう道路の渋滞が（　　　　　　）された。

(6) 何しろ　　何とか　　何とも

① 日本に来たのは（　　　　　　　）初めてなので、わからないことばかりです。

② あれだけお酒を飲んでも（　　　　　　）ないとは、上田さんはすごいね。

③ いくら物価が高いといっても、一か月十万円もあれば、生活は（　　　　　　）なるはずだ。

(7) 改革　　改造　　改築

① 古くなった学校の建物を（　　　　　　）して、病院として利用することになった。

② 車いすでも簡単に乗り降りできるように、自分のうちの車を（　　　　　）した。

③ 今の政府は、教育（　　　　　）に力を入れている。

(8) やかましい　　たくましい　　たのもしい

① あの先輩は何でも相談に乗ってくれるので、とても（　　　　　　）。

② やせて、病気がちだった少年は、（　　　　　　）若者に成長していた。

③ 友達の目覚まし時計の（　　　　　）音で目が覚めた。

3 用法　使い方に気を付けよう。

下線の言葉の使い方が正しい文には○、間違っている文には×を（　）に入れなさい。

また、間違っている場合には、下線の言葉に代わる正しい言葉を書きなさい。

(例)　<u>気楽</u>に返事をしてしまったのが、失敗の始まりだった。　　　　（　×　）　　　気軽

(1)　その<u>批評</u>では、彼女の映画はほめられていた。　　　　　　　（　　）＿＿＿＿＿＿＿

(2)　昨日日本に着いたはずだが、<u>今さら</u>連絡がない。　　　　　　　（　　）＿＿＿＿＿＿＿

(3)　政治家としての彼の<u>評論</u>は、あまり高くなかった。　　　　　　（　　）＿＿＿＿＿＿＿

(4)　最近は、社会に<u>適当</u>できない人が増えてきている。　　　　　　（　　）＿＿＿＿＿＿＿

(5)　日本の企業にとって、インドは非常に<u>有望</u>な輸出先だ。　　　　（　　）＿＿＿＿＿＿＿

(6)　<u>何とか</u>彼女を食事に誘えないかな。　　　　　　　　　　　　　（　　）＿＿＿＿＿＿＿

(7)　年末年始は一月六日まで<u>休憩</u>させていただきます。　　　　　　（　　）＿＿＿＿＿＿＿

III. 実践練習 ≫

1. （　　）に入れるのに最もよいものを、1・2・3・4から一つ選びなさい。(1点×10問)

1 倉庫の一部を（　　　）して、事務所として使うことにした。

  1 改正　　　　　　2 改革　　　　　　3 改築　　　　　4 改善

2 あのお客は注文が（　　　）から、あまり来てほしくないなあ。

  1 あつかましい　2 たくましい　　3 たのもしい　　4 やかましい

3 （　　　）本当のことを言っても、誰も信じてくれないだろう。

  1 今に　　　　　2 今さら　　　　　3 今でも　　　　4 今にも

4 このドラッグストアの（　　　）日は、毎月第三月曜日です。

  1 休暇　　　　　2 休養　　　　　　3 休業　　　　　4 休職

5 世界一周旅行を十八歳でするなんて、田中さんのお嬢さんも（　　　）ですね。

  1 あつかましい　2 あわただしい　3 たくましい　　4 やかましい

6 面倒くさいので、（　　　）に返事をしておいた。

  1 適切　　　　　2 適当　　　　　　3 適度　　　　　4 適応

7 あの人は（　　　）な性格だから、言われたことをいちいち気にしないほうがいいよ。

  1 気楽　　　　　2 気軽　　　　　　3 気弱　　　　　4 気まぐれ

8 前（　　　）が悪いからといって、必ずしも悪い映画とは限らない。

  1 評判　　　　　2 評価　　　　　　3 批判　　　　　4 評論

9 この間、（　　　）宝くじを買ってみたんだけど、なんと百万円当たったんだ。

  1 何となく　　　2 何だか　　　　　3 何とも　　　　4 何しろ

10 どうしたら（　　　）に交渉が進められるか考えた。

  1 有能　　　　　2 有望　　　　　　3 有力　　　　　4 有利

2. ＿＿の言葉に意味が最も近いものを、1・2・3・4から一つ選びなさい。(1点×5問)

1 風でろうそくの火が今にも消えそうだった。

  1 とても　　　　2 すぐに　　　　　3 そろそろ　　　4 まもなく

2 日本人の祖先は大陸から日本に渡ってきたという説が有力です。

  1 可能性が高い　2 賛成する人が多い　3 事実に近い　4 評価が高い

3 夫は家に戻ってくると、あわただしく昼食を取って、また出かけていった。

  1 急いで　　　　2 きちんと　　　　3 簡単に　　　　4 ゆっくりと

4 おいしい店だけど、こんなに評判になるとは思わなかった。

  1 にぎやか　　　2 うるさい　　　　3 有名　　　　　4 大きい

5 旅行のためにお金をためているので、カメラを買うのはあきらめた。

  1 困った　　　　2 悩んだ　　　　　3 伸ばした　　　4 やめた

3. 次の言葉の使い方として最もよいものを、1・2・3・4から一つ選びなさい。(2点×5問)

1 有効

　1　こちらにに有効な条件で、契約を結ぶことができた。

　2　この薬は、がんに高い有効があることが検証された。

　3　すばらしい作品を完成させた彼女は、有効な画家と言われていた。

　4　このポイントカードは、全国のチェーン店で有効だそうだ。

2 あつかましい

　1　毎日三十度以上の天気が続いていて、あつかましい。

　2　注文がたくさん来て、皆あつかましく働いている。

　3　彼はいつも落ち着いているので、あつかましい存在です。

　4　ただで宿題の答えを教えてもらおうなんて、あつかましいなあ。

3 休憩

　1　おなかも空いてきたし、そろそろ休憩しましょうか。

　2　一週間程休憩を取って、海外旅行をしたいものだ。

　3　病気が治るまで、自宅で休憩しなければならない。

　4　もうすぐ休憩期間が終わってしまう。

4 今や

　1　今や謝ったって、許せるわけがない。

　2　机の上に積まれた山のような荷物が今や落ちそうだ。

　3　普通の田舎町だったのに、今や世界を代表する都市になった。

　4　いつか成功すると信じて、今や頑張ってきました。

5 何とか

　1　今日は、何とか人が多い。きっと、何かイベントがあるのだろう。

　2　締め切りに間に合わせるためには、何とか五時までに郵便局に行かなくては。

　3　彼は、おいしいものなら何とか好きだからね。そのお土産は喜ぶと思うよ。

　4　彼の雰囲気が何とかいつもと違う。髪型が変わったせいだろうか。

Ⅰ. 言葉と例文 ≫

1 ウォーミングアップ

どうして上司は怒ったのか。──

　部下：部長はなかなかカラオケがお上手ですね。

　上司：何でそんなに偉そうなんだ。お前だって、そんなに上手じゃないだろ！

2 言葉

1. 程度（強調）
① **実に**　　彼女の発表は実にすばらしかった。
② **極めて**　　その計画には極めて大きな問題がある。
③ **よほど・よっぽど**　　彼はよほど怒っていたのか、あいさつもしなかった。
④ **大いに**　　昨日は部下たちと大いに飲んだ。

2. 程度（比較）
① **余計（に）**　　彼女は、人より余計に努力して、選手に選ばれた。
② **何より**　　幸せに生きていくためには、健康が何より大切だ。
③ **はるかに**　　バスより電車のほうがはるかに早く着くよ。

3. 程度（少なさ）
① **若干**　　前に会ったときより、彼女は若干太ったようだった。
② **いくらか**　　今日は昨日よりいくらか暖かかった。

4. 程度（変化）
① **一層**　　今週は先週より一層寒くなった。
② **一段と**　　彼は留学して、一段と日本語が上手になった。
③ **なお・なおさら**　　会えないと聞いて、なおさら会いたくなった。
④ **ぐっと**　　給料が三万円上がれば、生活もぐっと楽になるのだが。
⑤ **めっきり（と）**　　最近、お客の数がめっきり減った。

5. 程度（基準以上）
① **割合・割と**　　今年の冬は割合暖かい。
② **相当**　　彼女のお父さんは相当怖いらしいよ。
③ **なかなか**　　あの映画はなかなか面白かったよ。

6. 時間（瞬時）

| ① | 直ちに | 建物が倒れる危険がありますので、直ちにこの建物より出てください。 |
| ② | たちまち | テストが渡されると、彼はたちまち問題を解いてしまった。 |

7. 時間（過去）

①	あらかじめ	うちに来るときは、あらかじめ電話をしてもらえますか。
②	いつの間に（か）	さっきここにあったケーキがいつの間にかなくなっていた。
③	もはや	借金ばかりで、うちの会社ももはや終わりだ。
④	従来	この病気は、従来は手術をしていたが、今は薬で治る。

8. 時間（未来）

①	いずれ	あんなに仲がいいのだから、二人はいずれ結婚するに違いない。
②	今に	そんな運転の仕方では、今に事故を起こすよ。
③	そのうち	そのうち怒っていたことも忘れるでしょう。
④	近々・近く	日本では近々選挙が行われるそうだ。

9. 時間（一時）

| ① | ひとまず | 血が止まらなかったので、ひとまず近所の医者に行くことにした。 |
| ② | いったん | 忘れ物をしたので、いったんうちに戻った。 |

10. 時間（その他）

①	依然（として）	アジアの国々は好景気だが、日本では依然として不景気が続いている。
②	相変わらず	彼は相変わらずカラオケによく行っている。
③	絶えず	彼女は周りの人に絶えず愚痴を言っている。
④	終始	結婚式の間、彼は終始笑顔だった。
⑤	当分	猛暑はまだ当分続くという。
⑥	長年	彼女は長年この近所に住んでいる。

11. 頻度

①	時折	風でドアが時折がたがたと鳴った。
②	まれに	その植物はまれに花を咲かせることがある。
③	たびたび	授業中、先生にたびたび注意された。
④	しょっちゅう	うちの子はしょっちゅうけがをしている。
⑤	しきりに	店のものを買ってほしいらしく、店員がしきりに私に話しかけてきた。

Ⅱ. 基本練習 ≫

1 用法 　使う時の制限に気を付けよう。

下線部に注意して、◻◻◻の中から適当な言葉を選んで、（　　）に入れなさい。

(1) | よほど　　大いに　　　ぐっと |

① こんな高い車が買えるなんて、彼は（　　　　　）稼_{かせ}いでいるにちがいない。

② 就職_{しゅうしょく}してから、彼は（　　　　）大人っぽくなった。

③ 今日はパーティーを（　　　　）楽しんでいってください。

(2) | 絶えず　　近々　　　いつの間に |

① ここにあったコップは（　　　　）なくなったんだろうか。

② 彼女は自分の髪型を気にして、（　　　　）鏡_{かがみ}を見ている。

③ その駅にも（　　　　）エレベーターが設置される予定だ。

(3) | 依然　　　終始　　　当分 |

① 我_わがチームは、試合中（　　　　）攻_せめ続_{つづ}けたが、結局、一点も取ることができなかった。

② 体を壊_{こわ}したので、（　　　　）の間、店を休みます。

③ 対策_{たいさく}が取られたが、少年による凶悪_{きょうあく}な犯罪は（　　　　）減っていない。

2 意味 　意味の違いに気を付けよう。

◻◻◻の中から適当な言葉を選んで、（　　）に入れなさい。

(1) | 何より　　　余計に　　　はるかに |

① A国の自動車の輸出台数は、輸入台数を（　　　　）上回っている。

② お客さんが来るので、ビールを少し（　　　　）買っておいた。

③ 帰国していいことはいろいろあったが、母に会えたことが（　　　　）うれしかった。

(2) | めっきり　　なおさら　　　一段と |

① 展示されていたどの作品もすばらしかったが、彼の作品は（　　　　）すばらしかった。

② 最近、公園で遊ぶ子供が（　　　　）減ってしまった。

③ 悪いと知っていてやったのなら、（　　　　）よくない。

(3) | 相当　　　極めて　　　なかなか |

① うそだとわかっていても、ほめられると、（　　　　）うれしいものだ。

② 飲酒運転は、（　　　　）危険な行為_{こうい}であり、許されるものではない。

③ 昨日の夜は（　　　　）お酒を飲んでしまったので、今日は朝から気持ちが悪い。

(4)

たびたび	まれに	しきりに

① 手術が必要な病気だが、（　　　　　）手術をしなくても、治る場合がある。

② お忙しいところ（　　　　　）お越しいただいて、申し訳ありません。

③ さっきから、こっちを見て（　　　　　）手を振っているけど、なんか用でもあるのかな。

(5)

相変わらず	長年	絶えず

① 北海道は（　　　　　）親しんだ土地なので、思い出がたくさんあります。

② 彼は、もう三十歳になったというのに、（　　　　　）仕事もせず、ゲームばかりしている。

③ 自分のやり方が間違っていないか、（　　　　　）見直しをすることが大切です。

(6)

もはや	あらかじめ	従来

① がんになった後でたばこをやめても、（　　　　　）手遅れだ。

② 五名以上でご来店いただく場合は、（　　　　　）ご連絡ください。

③ （　　　　　）三時間かかっていた作業が、一時間でできるようになった。

3 用法　使い方に気を付けよう。

下線の言葉の使い方が正しい文には○、間違っている文には×を（　）に入れなさい。

また、間違っている場合には、下線の言葉に代わる正しい言葉を書きなさい。

(例)　少し遅れるという連絡があったから、<u>近々</u>来るでしょう。（ × ）　　もうじき

(1)　野菜は、煮えたら、<u>いずれ</u>取り出して、置いておきます。（　　）＿＿＿＿＿＿＿

(2)　病気をしたせいか、父は<u>よほど</u>やせてしまった。（　　）＿＿＿＿＿＿＿

(3)　大学を卒業してからも、友人から<u>時折</u>連絡が来る。（　　）＿＿＿＿＿＿＿

(4)　全米で大ヒットした映画が<u>近々</u>公開されるそうだ。（　　）＿＿＿＿＿＿＿

(5)　人というものは、<u>たびたび</u>自分の失敗を人のせいにする。（　　）＿＿＿＿＿＿＿

(6)　彼は、お酒を飲むと、<u>たちまち</u>顔が赤くなります。（　　）＿＿＿＿＿＿＿

4 用法　間違いに気を付けよう。

下線の部分を変えて、正しい文にしなさい。

(例)　今日食べた料理は、なかなか<u>おいしくなかった</u>ね。　→　　おいしかった

(1)　彼のことをよく知って、なおさら<u>好きです</u>。　→＿＿＿＿＿＿＿＿＿＿

(2)　彼は態度が悪いから、今に友達が<u>いなくなったよ</u>。　→＿＿＿＿＿＿＿＿＿＿

(3)　不景気のせいで、店の売り上げが若干<u>激減した</u>。　→＿＿＿＿＿＿＿＿＿＿

III. 実践練習　≫

1. （　　）に入れるのに最もよいものを、1・2・3・4から一つ選びなさい。（1点×10問）

① 次に、（　　　）切っておいた野菜をなべに入れ、ゆっくりと煮込みます。

　　1　あらかじめ　　　2　いったん　　　3　ただちに　　　4　先日

② （　　　）自分の身長が父の身長を超えていた。

　　1　いずれ　　　　2　いつのまにか　　3　いまに　　　　4　ただちに

③ 彼の引退コンサートは、（　　　）感動的なものだった。

　　1　実に　　　　　2　大いに　　　　　3　なおさら　　　4　はるかに

④ このところ、ずっと体調が優れないので、（　　　）帰国することにした。

　　1　もはや　　　　2　たちまち　　　　3　そのうち　　　4　いったん

⑤ このラーメン屋は、オープンから十年以上たつのに、（　　　）行列ができている。

　　1　終始　　　　　2　相変わらず　　　3　しきりに　　　4　もっと

⑥ 子育てには、愛情が（　　　）必要だ。

　　1　余計に　　　　2　しきりに　　　　3　何より　　　　4　はるかに

⑦ 先日の台風以来、（　　　）秋らしくなった。

　　1　てっきり　　　2　すっきり　　　　3　はっきり　　　4　めっきり

⑧ 親戚がいたので、子供のころは、（　　　）四国に行っていた。

　　1　依然として　　2　たびたび　　　　3　いくらか　　　4　なかなか

⑨ 準備ができたら、（　　　）患者のいる現場に向かってください。

　　1　ただちに　　　2　いずれ　　　　　3　突然　　　　　4　急に

⑩ 彼は（　　　）町内会の会長を務めている。

　　1　絶えず　　　　2　終始　　　　　　3　長年　　　　　4　ひとまず

2. ＿＿＿の言葉に意味が最も近いものを、1・2・3・4から一つ選びなさい。（1点×5問）

① あの人は暇なのか、用事もないのに、しょっちゅう家に来る。

　　1　時折　　　　　2　たまに　　　　　3　頻繁に　　　　4　ときどき

② 彼の態度がよほど許せなかったのか、彼女は怒って出ていってしまった。

　　1　相当　　　　　2　若干　　　　　　3　はるかに　　　4　ちょっと

③ 三日前から風邪を引いているが、今日は、いくらか体が楽になった。

　　1　とっても　　　2　だんだん　　　　3　少し　　　　　4　急に

④ 社会は絶えず変化している。

　　1　だんだん　　　2　ゆっくり　　　　3　いつも　　　　4　少しずつ

⑤ 祖父の病状は極めて深刻で、親戚が皆見舞いに訪れた。

　　1　大いに　　　　2　一層　　　　　　3　最も　　　　　4　非常に

3. 次の言葉の使い方として最もよいものを、1・2・3・4から一つ選びなさい。(2点×5問)

1 相当

1 あの人は、山田さんと相当遊ばなかったそうですよ。

2 あの人は、年に一回という相当な割合で恋人と会っている。

3 環境問題についての本は多いので、読むのに相当時間がかかるだろう。

4 あの人は、相当日本人だ。

2 いまに

1 うちの犬は、玄関（げんかん）を開けるといまに走ってくるんですよ。

2 一生懸命（いっしょうけんめい）練習していたから、いまに料理がとても上手になった。

3 彼は、いまにずっとサッカーを続けてきた。

4 もっと注意深くやらないと、いまに失敗するよ。

3 いったん

1 この強風だと、いったん戻らないと危ない。

2 今度、いったん遊びに行きませんか。

3 この本はいったん最後まで読み終えました。

4 パリにはいったん新婚旅行で行ったことがあります。

4 たちまち

1 この小説は、読んでいるうちにたちまち面白くなってきた。

2 このパソコンは一回スイッチを切ってしまうと、たちまち使えるようになるまで時間がかかる。

3 妹はあれほど汚れていた部屋をたちまちきれいにしてしまった。

4 あの歌手は、アルバムを出すたびに、たちまち歌がうまくなった。

5 割合

1 中学生になってから、割合急激（きゅうげき）に背が伸びた。

2 この映画は、割合面白かったけど、絶賛するほどではなかった。

3 今週になって、急に真冬のように割合寒くなった。

4 昨年の記録的な暑さと比べても、割合暑かった。

Ⅰ. 言葉と例文 ≫

1 ウォーミングアップ

何かおかしい？——

A：最近、うちの店、お客さんがさっぱり<u>来る</u>んですよ。もう大変でね。

B：えっ!?　お客さんは、来るんですか、来ないんですか。

2 言葉

---

1. 否定　〜ない／ないだろう

① **一切〜ない**
病気になってから、彼は一切たばこを吸わ<u>なく</u>なった。

② **さっぱり〜ない**
お酒を飲みすぎて、昨夜のことはさっぱり覚えてい<u>ない</u>。

③ **少しも／ちっとも〜ない**
靴の汚れがとてもひどくて、洗ってもちっともきれいになら<u>なかった</u>。

---

④ **そう〜ない**
まだ、そう疲れてい<u>ない</u>ので、もう少し後で休憩をしましょう。

⑤ **大して〜ない**
人気の映画を見に行ったが、大して面白く<u>なかった</u>。

⑥ **別に〜ない**
その問題は、普通の問題で、別に難しい問題じゃ<u>ない</u>よ。

---

⑦ **とても〜ない／できない／だめだ／無理だ**
こんなに難しい問題は、私にはとても解け<u>ません</u>。

⑧ **なかなか〜ない／できない**
先週引いた風邪が、薬を飲んでいるのに、なかなか治ら<u>ない</u>。

---

⑨ **必ずしも〜ない**
先生の言うことが必ずしもすべて正しいわけでは<u>ない</u>。

⑩ **まさか〜ないだろう／まい／思わなかった**
まさか同じクラスの山田さんと川口さんが結婚するとは思わ<u>なかった</u>。

⑪ **めったに〜ない**
アルバイトばかりしているらしく、彼はめったに学校に来<u>なかった</u>。

---

2. 推量　～かもしれない／だろう／らしい

① **ひょっとすると／ひょっとしたら～かもしれない**
　　頑張っていたから、ひょっとすると彼は試験に受かるかもしれないよ。

② **もしかすると／もしかしたら～かもしれない**
　　元気だとは言っているけど、もしかしたら彼は病気かもしれない。

③ **恐らく～だろう／と思う／に違いない**
　　この寒さと空の様子からすると、恐らく夕方から雪になるだろう。

④ **どうも～らしい／ようだ**
　　彼の様子が変だ。どうも私に何か隠しているらしい。

3. 様子　～そうだ／ようだ

① **あたかも～ようだ／ごとし**
　　田中さんは、あたかも自分が見てきたかのように、その事故の話をした。

② **ちょうど～ようだ／みたいだ**
　　そのシャツの模様は、ちょうど着物の模様のような感じで、とてもきれいだった。

③ **まるで～ようだ／みたいだ**
　　もう十月なのに、まるで真夏のように暑い。

4. 仮定　～ば／たら／なら／ても～

① **いくら～ても**
　　いくら勉強しても、日本語が上手にならないんですが、どうすればいいでしょう。

② **たとえ～ても**
　　たとえ親が反対しても、私は留学がしたいのだ。

③ **万一／万が一～ば／たら／なら／ても～**
　　万が一事故を起こして、人にけがでもさせたら、大変なことになるよ。

5. 疑問　～か／だろう／だろうか

① **一体～疑問詞（なぜ／誰／どこ……）～か／だろう**
　　来ると言っていたのに、彼はまだ来ない。一体いつになったら、来るんだろうか。

② **果たして～か／だろうか**
　　彼は大丈夫だと言うが、果たして彼を信じて、お金を貸してもいいのだろうか。

II. 基本練習 ≫

1 用法　後ろの表現に気を付けよう。

下線部に注意して、□□□の中から適当な言葉を選んで、（　　）に入れなさい。

(1)　| ちょうど　　おそらく　　なかなか |

① あそこの岩が（　　　　　　　）ベンチみたいになってますから、一休みしませんか。

② レストランで食べた料理をまねして作ってるんだけど、（　　　　　　）うまくいかない。

③ 彼は約束の時間通りに来たことがないから、（　　　　　　）今日も遅れてくるだろう。

(2)　| まさか　　たとえ　　果たして |

① （　　　　　　）彼があのとき言った言葉がうそだったとしても、私は彼を信じます。

② 選挙でいろいろと約束するのはいいが、（　　　　　　）本当に実行できるのだろうか。

③ 何度もチェックしたから、（　　　　　　）ミスがあるとは思わなかった。

(3)　| どうも　　さっぱり　　万が一 |

① 火はちゃんと消してね。（　　　　　　）火事でも起こったら、大変だから。

② 彼女は（　　　　　　）調子が悪いようだ。朝からふらふらしている。

③ 社内では、大ヒット間違いなしと言われていた商品だったが、（　　　　　　）売れなかった。

(4)　| まるで　　一体　　とても |

① 彼は（　　　　　　）映画の中の王子様のようにすてきです。

② こんなつらい生活が（　　　　　　）いつまで続くのだろう。

③ 彼の言っていることには、（　　　　　　）賛成できない。

2 意味　意味の違いに気を付けよう。

□□□の中から適当な言葉を選んで、（　　）に入れなさい。

(1)　| 別に　　めったに　　大して |

① 彼は（　　　　　　）仕事もしていないのに、なぜか出世するのが早い。

② 東京で四月に雪が降るなんて、（　　　　　　）ないことだよ。

③ 試合に負けたのは、（　　　　　　）彼がミスしたからじゃないよ。

(2)　| どうも　　ちょうど　　あたかも |

① このスープは（　　　　　　）日本のみそ汁のようなもので、私の国では毎日飲むんです。

② 彼は今日はずっとにこにこしている。（　　　　　　）何かいいことでもあったようだ。

③ （　　　　　　）天使が空から降りてきたかのように、空から雪が輝きながら降ってきた。

(3) | 一切　　必ずしも　　さっぱり |

① 彼ほどひどい人はいないと思ったので、(　　　　　　)付き合わないことにした。

② 彼らの議論は専門的過ぎて、(　　　　　　)わからなかった。

③ けんかは始めたほうが絶対に悪いとは(　　　　　　)言えないと思う。

(4) | たとえ　　万が一　　いくら |

① (　　　　　　)何が起ころうと、彼女の決意は変わらないだろう。

② (　　　　　　)考えても、答えがわからなった。

③ (　　　　　　)のことがあるから、必ずシートベルトを締めてください。

3 用法　使い方に気をつけよう。

下線の言葉の使い方が正しい文には○、間違っている文には×を(　)に入れなさい。

また、間違っている場合には、下線の言葉に代わる正しい言葉を書きなさい。

(例)　今回のテストは、とっても難しくなかった。　　　　　　(×)　　　大して

(1)　どうぞ道を間違っているような気がする。　　　　　　　(　　)＿＿＿＿＿＿＿

(2)　ひょっとすると、彼はここには来ないに違いない。　　　(　　)＿＿＿＿＿＿＿

(3)　けんかをして出ていって以来、一切連絡がない。　　　　(　　)＿＿＿＿＿＿＿

(4)　外国で生活することは、大して簡単じゃない。　　　　　(　　)＿＿＿＿＿＿＿

(5)　あの人は、いくらお酒を飲んでも酔っ払わない。　　　　(　　)＿＿＿＿＿＿＿

(6)　そこから見る景色は、まるで夢の中のようだった。　　　(　　)＿＿＿＿＿＿＿

(7)　場所が悪いのか、必ずしも魚が釣れない。　　　　　　　(　　)＿＿＿＿＿＿＿

4 用法　間違いに気を付けよう。

下線の部分を変えて、正しい文にしなさい。

(例)　今日は重要な会議があるから、まさか休むだろう。　　→　　休まないだろう

(1)　あの映画は、ちっとも面白いです。　　　　　　　　　→＿＿＿＿＿＿＿＿＿

(2)　彼女はまるで母親らしく、子供をかわいがった。　　　→＿＿＿＿＿＿＿＿＿

(3)　万が一、宝くじに当たると、マンションを買いたい。　→＿＿＿＿＿＿＿＿＿

(4)　あんなに仲のいい二人がまさかけんかはしない。　　　→＿＿＿＿＿＿＿＿＿

(5)　私の国では、電車で寝てしまう人は、そういます。　　→＿＿＿＿＿＿＿＿＿

III. 実践練習 ≫

1. （　　）に入れるのに最もよいものを、1・2・3・4から一つ選びなさい。（1点×10問）

1 彼は、知らないことでも、（　　）知っているかのごとく話す。

  1　とても　　　　　　2　ちょうど　　　　　3　あたかも　　　　　4　おそらく

2 今、駅に行けば、（　　）彼に会えるかもしれませんよ。

  1　まさか　　　　　　2　まるで　　　　　　3　もしかすると　　　4　万が一

3 試験があるから、最近は（　　）遊んでいない。

  1　別に　　　　　　　2　必ずしも　　　　　3　とても　　　　　　4　ちっとも

4 （　　）あの人気アイドルが逮捕されるとは思わなかった。

  1　まさか　　　　　　2　てっきり　　　　　3　とても　　　　　　4　めったに

5 こんなに遅く家を出て、（　　）彼は試験に間に合うのだろうか。

  1　まるで　　　　　　2　どうも　　　　　　3　ひょっとすると　4　果たして

6 あの事件の犯人と私は（　　）関係ありません。

  1　少し　　　　　　　2　一切　　　　　　　3　ちょっと　　　　　4　さっぱり

7 彼は、政治のことなど（　　）知らないのに、偉そうにテレビで解説している。

  1　大そう　　　　　　2　どうも　　　　　　3　大して　　　　　　4　大変

8 このパソコン、（　　）キーをたたいても、反応しない。壊れちゃったのかな。

  1　たとえ　　　　　　2　いくら　　　　　　3　万一　　　　　　　4　よく

9 面接試験にTシャツで来るなんて、（　　）何を考えているんだろうか。

  1　一切　　　　　　　2　一回　　　　　　　3　一体　　　　　　　4　一見

10 「その缶ジュース飲んでいいよ。」「なんだ、（　　）残ってないじゃないか。」

  1　さっぱり　　　　　2　一切　　　　　　　3　ちっとも　　　　　4　なかなか

2. ＿＿の言葉に意味が最も近いものを、1・2・3・4から一つ選びなさい。（1点×5問）

1 このゲーム、難しくて、なかなか先に進めないんだ。

  1　思ったように　　2　思った通り　　　3　全然　　　　　　4　一切

2 彼女は、どうも僕を避けているような気がする。

  1　絶対に　　　　　2　どちらかというと　3　なんとなく　　4　間違いなく

3 いくら断っても、彼女は私を旅行に誘ってくるので、困っている。

  1　何回か　　　　　2　どんなに　　　　3　必死に　　　　　4　はっきり

4 田中さんは、食事もせず、ため息ばかりで、さっぱり元気がない。

  1　ほとんど　　　　2　まったく　　　　3　すっきり　　　　4　なぜか

5 こんな難しい曲は、とても弾けないよ。

  1　どうやっても　　2　なかなか　　　　3　何とか　　　　　4　すごく

3. 次の言葉の使い方として最もよいものを、1・2・3・4から一つ選びなさい。(2点×5問)

1 どうも

1 試験に合格するために、どうも今から頑張らなければならない。
2 花瓶を割ったのは、どうもあの子のはずだ。
3 どうもご家族の方にもよろしくお伝えください。
4 どうも僕の言った言葉が誤解されているような気がする。

2 まさか

1 まさか彼は来るに違いない。
2 こんなにおいしい料理を作れるなんて、まさかプロだね。
3 まさか彼が医者になるなんて思わなかった。
4 これはまさか君にぴったりの仕事だよ。

3 もしかしたら

1 彼女はもしかしたら昨日徹夜したのかもしれない。
2 あの人は、ここに寄ってから、もしかしたら会社に行くんです。
3 今夜は、もしかしたら雨が降るに違いない。
4 こんなにも大量のデータを処理するのは、もしかしたら大変なことだ。

4 さっぱり

1 先生はとても早口で話されたので、さっぱり聞き取れなかった。
2 久しぶりのお休みだったので，今日は、さっぱり遊んでしまった。
3 こんなに周りがうるさくては、先生の話がさっぱりわかるわけがない。
4 一人でパーティーに行くのは嫌なので、彼がさっぱり来なかったら、私も行きません。

5 まるで

1 このゲームは、まるで高いので、あまり売れないだろう。
2 昨日、遊んだ公園は、まるで広かったけど、ただの草原のようだった。
3 彼女は、将来、まるで立派な人になるような気がする。
4 彼は、全然感情を顔に出さない。まるでロボットのようだ。

Ⅰ. 言葉と例文 ≫

1 ウォーミングアップ

おかしいのはどれ？──

（　せっかく　わざと　わざわざ　）来てくださったのに、何のお構いもできませんで、すみませんねえ。

2 言葉

1. 意味の近い副詞	
① **いよいよ**	明日からいよいよ入学試験が始まる。
② **とうとう**	けんかばかりしていた二人はとうとう離婚した。
③ **ついに**	彼らはついに自分たちの会社を作った。
④ **ようやく**	けがも治り、ようやく歩けるようになった。
⑤ **結局**	随分悩んだようだったが、結局彼はその服を買わなかった。
⑥ **うっかり**	帰るとき、うっかり人の傘を持ってきてしまった。
⑦ **思わず**	足を踏まれて、思わず叫んでしまった。
⑧ **つい**	禁煙中なのに、ついたばこを吸ってしまった。
⑨ **ふと**	ふと時計を見ると、もう一時になっていた。
⑩ **案外**	人気の店だったが、案外料理はまずかった。
⑪ **意外（に／と）**	難しいかと思っていたが、テストは意外に易しかった。
⑫ **思いのほか**	その靴の値段は思いのほか高かった。
⑬ **結構**	私って、こう見えて結構料理が得意なんですよ。
⑭ **一応**	時間は掛かったが、一応料理が完成した。
⑮ **とりあえず**	ひどい熱だから、とりあえず病院に行ったら？
⑯ **やむをえず**	電車が動かず、やむをえずタクシーに乗った。
⑰ **かえって**	お礼にお金を差し上げるのはかえって失礼だ。
⑱ **まして**	彼にできないことが、まして私にできるはずがない。
⑲ **むしろ**	私は大きな会社よりむしろ小さな会社に入りたい。
⑳ **わざと**	彼はわざと私の話が聞こえない振りをした。
㉑ **わざわざ**	先生がわざわざお見舞いに来てくださった。
㉒ **せっかく**	せっかく作った料理が冷たくなってしまった。

㉓	たった	彼女はたった一人でその仕事をやってしまった。
㉔	ほんの	油をほんの少し入れてください。
㉕	わずか（に）	わずか半年で日本語が話せるようになった。
㉖	およそ	この化石はおよそ十万年前のものです。
㉗	ほぼ	今日の仕事はほぼ終わった。
㉘	せいぜい	歩いても、せいぜい十分で駅に着きますよ。
㉙	せめて	一か月にせめて十万円は収入が欲しい。
㉚	どうせ	あいつは時間を守らないから、どうせまた遅刻するよ。
㉛	決まって	彼女は決まって朝八時半に会社に来る。
㉜	早速	新しく開店したスーパーに早速行ってみた。
㉝	至急	お父さんが倒れたので、至急連絡ください。
㉞	いきなり	母親の顔を見ると、彼女はいきなり泣き出した。
㉟	突如	止まっていた電車が突如動き出した。
㊱	次第に	彼の病状は次第に悪化していった。
㊲	徐々に	たばこの値段が徐々に引き上げられた。

2. 「漢字＋に」の形の副詞

①	主に	大学で彼は主に日本の現代文学について勉強している。
②	既に	救急車が来たとき、彼は既に死んでいた。
③	単に	病気ではない。単におなかが減っているだけだ。
④	常に	彼女は常にスカーフを頭に巻いていた。
⑤	まさに（正に）	これこそ、まさに私が求めていた彫刻だ。

3. その他の副詞

①	あいにく	社長はあいにく留守にしております。
②	あくまで	彼はあくまで自分の意見にこだわった。
③	改めて	彼を失って、改めて彼の大切さに気付いた。
④	思い切って	恥ずかしかったが、思い切って発言してみた。
⑤	思い切り・思いっ切り	すき焼きを思いっ切り食べたい。
⑥	中でも	彼は秀才で、何でもよくできるが、中でも数学が得意だ。
⑦	半ば	彼に頼んでも無理だと、半ばあきらめていた。

II. 基本練習 ≫

1 連語　一緒に使う言葉を覚えよう。

例のように一緒に使う言葉を線で結びなさい。

(1)　ふと　　　・　　　　　　　・半年ぐらい・500メートルの距離・五、六人しかいない

　　　案外　　　・　　　　　　　・気が付く・不安になる・空を見上げる

　　　せいぜい　・　　　　　　　・戦う・やめない・自分の意見を変えない

　　　あくまで　・　　　　　　　・簡単だ・人が多い・面白くない

(2)　思い切って・　　　　　　　・間違える・忘れ物をする・寝過ごす

　　　うっかり　・　　　　　　　・変化する・明るくなる・温度が上昇する

　　　次第に　　・　　　　　　　・出かけている・都合が悪い・売り切れだ

　　　あいにく　・　　　　　　　・挑戦する・意見を言う・高い服を買う

2 意味　意味の違いに気を付けよう。

▢▢▢の中から適当な言葉を選んで、（　　　）に入れなさい。

(1)　▢ 一応　　とりあえず　　やむをえず ▢

　　① 大学に合格したことを、一番心配していた母に（　　　　　　）知らせなければ。

　　② 頭がとても痛かったので、（　　　　　　）重要な会議を欠席して病院に行った。

　　③ 契約は特に問題なく済んだが、（　　　　　　）部長に電話で報告をしておいた。

(2)　▢ まして　　むしろ　　かえって ▢

　　① 晴れている日よりも、（　　　　　　）雨の日のほうが好きだ。

　　② いい点を取ろうとして、徹夜で勉強したら、（　　　　　　）テストの点数が悪くなった。

　　③ この荷物は、大人でも運べないのだから、（　　　　　　）小さな子供には運べないだろう。

(3)　▢ 常に　　どうせ　　決まって ▢

　　① 店長は店員の動きに（　　　　　　）気を配っていた。

　　② 僕なんかが、どんなに頑張ったって、（　　　　　　）あの大学には入れない。

　　③ 忙しいときに限って、（　　　　　　）お客さんが家に来る。

(4)　▢ ほんの　　たった　　わずかに ▢

　　① 洗濯機で服を洗ったが、まだ（　　　　　　）汚れが残っていた。

　　② 彼は頭がよかったので、（　　　　　　）二十分でテストの問題をすべて解いた。

　　③ まだ（　　　　　　）ちょっとしか読んでいませんが、とても面白そうな本です。

(5) 早速　至急　突如

① さっきまで晴れていたのに、（　　　　　　　）大雨が降り出した。

② 昨日、友達がプレゼントしてくれたシャツを（　　　　　　　）着て出かけた。

③ 今すぐ話したいことがあるので、（　　　　　　　）電話をください。

(6) ついに　結局　いよいよ

① 太郎君も明日から（　　　　　　　）立派な社会人だね。

② 大変な工事だったが、そのトンネルは（　　　　　）完成した。

③ 旅行にたくさんお金を持っていったが、（　　　　　　）ほとんど使わなかった。

(7) わざと　わざわざ　せっかく

① 子供のころ、優しい兄は、私とゲームをするといつも（　　　　　）負けてくれた。

② （　　　　　　）誕生日に靴を買ってあげたのに、娘はその靴を一回もはいていない。

③ あいさつだけなら、（　　　　　）家まで来なくても、電話してくれればよかったのに。

(8) ふと　思わず　うっかり

① （　　　　　　）気が付くと、時計の針はもう十二時を過ぎていた。

② （　　　　　　）テーブルの上のコップを倒して、お茶をこぼしてしまった。

③ 友達が転んだのを見て、（　　　　　）笑ってしまった。

(9) 既に　単に　まさに

① いつも熱心に授業をする山田さんは（　　　　　）理想の教師だ。

② 相談したいことがあって、先生の研究室に行ったが、先生は（　　　　　　）帰っていた。

③ 息子はいつも疲れたとか眠いと言い訳をするが、（　　　　　）勉強したくないだけだ。

3 用法　使い方に気を付けよう。

下線の言葉の使い方が正しい文には○、間違っている文には×を（　）に入れなさい。

また、間違っている場合には、下線の言葉に代わる正しい言葉を書きなさい。

(例)　こんな遠いところまで、よくも来てくださいました。　　　　（ × ）＿＿＿＿＿よく＿＿＿＿

(1)　今建てている新しい家はほぼ完成した。　　　　　　　　　（　　）＿＿＿＿＿＿＿＿＿＿

(2)　客がどんどん減って、その店は徐々につぶれてしまった。　（　　）＿＿＿＿＿＿＿＿＿＿

(3)　とても不安だったが、思い切り留学することに決めた。　　（　　）＿＿＿＿＿＿＿＿＿＿

(4)　期待していなかったが、この映画は意外に面白かった。　　（　　）＿＿＿＿＿＿＿＿＿＿

(5)　今日から旅行に行くのに、あくまで雨が降っている。　　　（　　）＿＿＿＿＿＿＿＿＿＿

III. 実践練習 ≫

1. （　）に入れるのに最もよいものを、1・2・3・4から一つ選びなさい。(1点×10問)

1 2年前から必死に勉強して、最近（　　）英語で討論ができるようになった。

 1　ほどなく   2　しばらく   3　ようやく   4　せっかく

2 ダイエットしているのに、（　　）甘いものを食べてしまう。

 1　つい   2　ふと   3　ほぼ   4　やや

3 集合場所と時間が決まったら、（　　）ご連絡します。

 1　あいにく   2　改めて   3　総じて   4　決まって

4 毎年じゃなくても、（　　）三年に一度くらいは海外旅行に行きたい。

 1　どうせ   2　どうも   3　せめて   4　せいぜい

5 彼女は自分が言いたいことを一気に言うと、（　　）電話を切った。

 1　至急   2　いよいよ   3　いきなり   4　徐々に

6 このレストランは目立たない場所にあるが、（　　）人気がある。

 1　結局   2　早速   3　結構   4　突如

7 日本は雨がよく降るが、（　　）六月は雨の日が多い。

 1　あいにく   2　思いのほか 3　半ば   4　中でも

8 会社では、いろいろな仕事をしているのですが、（　　）新商品の開発を担当しています。

 1　主に   2　単に   3　正に   4　既に

9 すぐに退院できると思っていたが、母の病気は（　　）重かった。

 1　思わず   2　思いのほか 3　思い切って 4　思い切り

10 何度も話し合っているうちに、山本さんの考え方が（　　）変わってきた。

 1　早急に   2　次第に   3　既に   4　常に

2. ＿＿の言葉に意味が最も近いものを、1・2・3・4から一つ選びなさい。(1点×5問)

1 長い間続いた不況のために、毎年徐々に賃金が引き下げられた。

 1　ますます   2　だんだん   3　それぞれ   4　どんどん

2 公園で遊んだらどうせ汚れるのだから、子供に新しい服を着せなくてもいいよ。

 1　恐らく   2　必ず   3　きっと   4　多分

3 財布を忘れてしまったので、電車に乗るためにやむをえず友達にお金を借りた。

 1　仕方なく   2　喜んで   3　関係なく   4　一応

4 学校から駅までの距離は、およそ1キロメートルだ。

 1　恐らく   2　せいぜい   3　約   4　ほんの

5 ここまで作業が終われば、作品は半ば完成したと言ってもいい。

 1　やや   2　ほぼ   3　少々   4　十分

3. 次の言葉の使い方として最もよいものを、1・2・3・4から一つ選びなさい。(2点×5問)

1 常に

　　1　問題が難しいのではなく、常に頭が悪いだけだ。

　　2　小学校のときの友達とは、年に一回常に集まって食事会をしている。

　　3　図書館で借りた本は、昨日常に返却した。

　　4　私は心臓に病気があるので、常に薬を持ち歩いている。

2 案外

　　1　プレゼンテーションには自信があったが、案外うまくできた。

　　2　難しそうに思えることでも、やってみると案外簡単なこともある。

　　3　有名な山田先生の講演会に行けなかったのは、案外残念だった。

　　4　昨日はよく寝たから、案外今日は眠い。

3 あくまで

　　1　父は私が外国人と結婚するということにあくまで反対した。

　　2　離婚をして、あくまで家族の大切さに気付いた。

　　3　お弁当が必要な方は、あくまで事務所にご連絡ください。

　　4　人気があるレストランに行ったら、あくまでその日は休みだった。

4 せいぜい

　　1　会社から遠くてもいいから、せいぜい二部屋はある家に住みたい。

　　2　一日三時間練習したら、せいぜい半年でギターが弾けるようになった。

　　3　今は会社が忙しい時期なので、せいぜい三日間しか休めないだろう。

　　4　ノートパソコンを買うには、せいぜい八万円は必要だ。

5 とうとう

　　1　試験が終わったら、とうとう答えが正しいか確認してください。

　　2　家の中でゴキブリを見つけて、とうとう叫んでしまった。

　　3　今日始まったばかりの展覧会をとうとう見に行った。

　　4　彼は土日も休みなく働いて、とうとう社長になるという夢をかなえた。

5章 オノマトペ

I. 言葉と例文 ≫

1 ウォーミングアップ

次のうち正しいのは？――

田中さんは { a おっとりな / b おっとりの / c おっとりした } 性格で、みんなから好かれている。

2 言葉

1. ものの様子（〜と）
① **びっしり**（と）　彼のノートにはびっしりと数字が書き込まれていた。
② **ぎっしり**（と／だ／に／な／の）　箱にはお菓子がぎっしり入っていた。
③ **くっきり**（と）　今日は天気がよく、富士山がくっきり見えた。
④ **どっさり**（と）　お土産にミカンをどっさりもらった。
⑤ **びっしょり**（と／だ／に／な／の）　一時間走って、びっしょり汗をかいた。

2. ものの様子（〜する／〜している／〜と）
① **ぽかぽか**（と／する／している）　薬を飲んだら、体がぽかぽかしてきた。
② **ひんやり**（と／する／している）　朝の高原の空気はひんやりとしていた。
③ **しっとり**（と／する／している）　このクリームを使うと、肌がしっとりする。
④ **じめじめ**（と／する／している）　雨の日が続き、部屋の中がじめじめしている。
⑤ **ずっしり**（と／する／している）　銅でできた花瓶はずっしりと重かった。
⑥ **ひっそり**（と／する／している）　放課後の教室はひっそりとして、静かだった。

3. ものの様子（〜だ／〜に／〜な〜／〜の〜）
① **ぐちゃぐちゃ**（だ／に／の）　彼女の部屋の中はぐちゃぐちゃだった。
② **めちゃくちゃ**（だ／に／の）　台風の後で、町はめちゃくちゃな状態だった。
③ **すれすれ**（だ／に／の）　海面すれすれのところを鳥が飛んでいた。
④ **ほやほや**（だ／の）　その店で焼き立てほやほやのパンを食べた。
⑤ **ぼろぼろ**（だ／に／の）　十年間履いた靴なので、もうぼろぼろだ。

4. 人の様子（〜と）
① **さっさと**　おしゃべりしないで、さっさと食べなさい。
② **せっせと**　親鳥はせっせとひなにえさを運んできた。
③ **てきぱき**（と）　彼女は家事をてきぱきと片付けた。

④	**こつこつ**（と）	彼はこつこつと受験の準備を進めていた。
⑤	**じっくり**（と）	一度自分の将来のことをじっくり考えたい。
⑥	**のろのろ**（と／する）	のろのろ歩いていると、夕方までに家に帰れないよ。
⑦	**しみじみ**（と）	手紙を読み、親の優しさをしみじみ感じた。
⑧	**つくづく**（と）	彼女が泣くのを見て、つくづく自分が悪かったと反省した。
⑨	**ざっと**	昨日の夜、教科書をざっと読んでおいた。
⑩	**ずばり**（と）	自分の欠点をずばりと言われたので、腹が立った。
⑪	**すんなり**（と）	彼が社長になることがすんなり決まった。

5. 人の様子（〜する／〜している／〜と）

①	**おっとり**（と／する／している）	彼はおっとりしていて、あまり怒らない。
②	**のんびり**（と／する／している）	たまには温泉にでも入ってのんびりしたい。
③	**のびのび**（と／する／している）	両親が旅行で留守なので、のびのびできる。
④	**いきいき**（と／する／している）	子供たちの目はいきいきとしていた。
⑤	**きびきび**（と／する／している）	彼はきびきびとした動きで荷物を運んだ。
⑥	**いらいら**（する／している）	渋滞で車が進まず、いらいらした。
⑦	**むかむか**（する／している）	彼の言い訳を聞いていると、むかむかする。
⑧	**きっぱり**（と／する／している）	彼はきっぱりとした態度で誘いを断った。
⑨	**はきはき**（と／する／している）	面接での回答ははきはきしていて、よかった。
⑩	**おどおど**（と／する／している）	面接のとき、その学生はおどおどしていた。
⑪	**そわそわ**（と／する／している）	姉の結婚式の朝、父はそわそわしていた。
⑫	**くよくよ**（と／する／している）	試験に落ちたぐらいで、くよくよするな。
⑬	**にやにや**（と／する／している）	彼は私の顔を見てにやにやしていた。
⑭	**ひやひや**（する／している）	妹の運転にはいつもひやひやさせられる。
⑮	**ぼんやり**（と／する／している）	ぼんやりしていて、パンを買うのを忘れた。
⑯	**ぐったり**（と／する／している）	今日は彼は二日酔いでぐったりしていた。

6. 人の様子（〜だ／〜に／〜な〜／〜の〜）

| ① | **くたくた**（だ／に／な／の） | 六時間も山道を登ってきたので、くたくただ。 |
| ② | **へとへと**（だ／に／な／の） | 六時間連続で試験を受けて、もうへとへとだ。 |

II. 基本練習 ≫

1 連語　　一緒に使う言葉を覚えよう。

例のように一緒に使う言葉を線で結びなさい。

(1)　びっしょり・　　　　・生える　　　(2)　ひっそりと・　　　　・冷える
　　　じっくり　・　　　　・疲れる　　　　　　しっとりと・　　　　・湿っている
　　　びっしり　・　　　　・考える　　　　　　ずっしりと・　　　　・静まる
　　　ぐったり　・　　　　・ぬれる　　　　　　ひんやりと・　　　　・重い

(3)　ずばり　　・　　　　・育つ　　　　(4)　ぽかぽか　・　　　　・指示する
　　　ざっと　　・　　　　・当てる　　　　　　しみじみ　・　　　　・感じる
　　　つくづく　・　　　　・数える　　　　　　のんびり　・　　　　・温まる
　　　のびのび　・　　　　・思う　　　　　　　てきぱき　・　　　　・過ごす

(5)　こつこつ　・　　　　・答える　　　　(6)　くよくよ　・　　　　・話す
　　　はきはき　・　　　　・断る　　　　　　　くたくたに・　　　　・悩む
　　　きっぱり　・　　　　・近づく　　　　　　にやにや　・　　　　・疲れる
　　　すれすれに・　　　　・続ける　　　　　　おどおど　・　　　　・笑う

2 意味　　意味の違いに気を付けよう。

☐☐☐の中から適当な言葉を選んで、（　　　）に入れなさい。

(1)　| ぎっしり　　くっきり　　どっさり |

① 来月まで予定が（　　　　　）詰まっていて、買い物に行く時間がない。

② 友達が果物を（　　　　　）持って、お見舞いに来てくれた。

③ 新しい眼鏡（めがね）を買ったら、何でも（　　　　　）と見えるようになった。

(2)　| さっさと　　ざっと　　すんなりと |

① 留学したいと親に言ったら、反対されると思っていたのに、（　　　　　）認めてくれた。

② 今日はいつもより遅く起きたので、（　　　　　）準備をしないと仕事に遅れてしまう。

③ 時間がなくて、報告書を（　　　　　）読んだだけなので、詳（くわ）しいことはまだわからない。

(3)　| すれすれ　　ぼろぼろ　　ほやほや |

① 彼は受験勉強のときに使ったという（　　　　　）になったノートを僕（ぼく）に見せてくれた。

② この道は狭くて、店の前（　　　　　）のところを車が通るから危ない。

③ その会社は、出来立て（　　　　　）の新しい会社だった。

(4) | いきいき　　きびきび　　はきはき |

① 夢だった弁護士(べんごし)になって、山本さんの表情は（　　　　　　）している。

② 面接のときは、（　　　　　　）と大きな声で話したほうがいいよ。

③ 田中さんは（　　　　　　）とした動作で、あっという間に机の上を片付けた。

(5) | のびのび　　ぼんやり　　のんびり |

① 風邪(かぜ)を引いて、頭が（　　　　　　）しているので、何も考えられない。

② 今週はとても忙しかったから、日曜日は何もせず（　　　　　　）寝ていたい。

③ この辺りは自然が豊かで、子供たちが外で自由に（　　　　　　）と遊ぶことができる。

(6) | ひやひや　　そわそわ　　おどおど |

① いつも怒られてばかりなので、先生と話すときは（　　　　　　）した話し方になってしまう。

② 資格試験の合格発表の日は、朝から（　　　　　　）して落ち着かなかった。

③ 親にうそをついていたことがばれるのではないかと（　　　　　　）した。

(7) | いらいら　　へとへと　　にやにや |

① いつも私のことをばかにして（　　　　　　）笑うので、私は彼のことが嫌(きら)いだ。

② 娘がまったく言うことを聞かないので、彼女は（　　　　　　）していた。

③ 医者である夫は、毎日夜遅くまで働いて、（　　　　　　）になって帰ってくる。

(8) | おっとり　　ぐったり　　くよくよ |

① 兄は、仕事でミスをすると、いつまでも（　　　　　　）している。

② 山田さんは性格が（　　　　　　）していて、怒っているところを見たことがない。

③ 彼は、マラソンでゴールした後、その場に倒れこんで（　　　　　　）として動かなかった。

3 用法　　間違いに気を付けよう。

下線の部分を変えて、正しい文にしなさい。

(例)　子供にいたずらをされて、母親はかんかんしていた。　　　　→　　　かんかんだった

(1)　弟が勉強の邪魔(じゃま)をするので、むかむかになった。　　　　→　＿＿＿＿＿＿＿＿＿＿

(2)　遠慮(えんりょ)しないで、きっぱりに自分の意見を言った。　　　　→　＿＿＿＿＿＿＿＿＿＿

(3)　部屋の中がじめじめと乾いている。　　　　→　＿＿＿＿＿＿＿＿＿＿

(4)　あの人の言うことはめちゃくちゃしている。　　　　→　＿＿＿＿＿＿＿＿＿＿

(5)　子供のころは、毎日こつこつと遊んだ。　　　　→　＿＿＿＿＿＿＿＿＿＿

(6)　人が少ない、ひっそりの町を歩いた。　　　　→　＿＿＿＿＿＿＿＿＿＿

III. 実践練習 ≫

1. （　　）に入れるのに最もよいものを、1・2・3・4から一つ選びなさい。(1点×10問)

1 大雨の後で、地面が（　　）で、靴が汚れてしまった。
　　1　しっとり　　　　2　じめじめ　　　　3　ぐちゃぐちゃ　　　4　めちゃくちゃ

2 井戸の水を飲んだら、（　　）としていておいしかった。
　　1　びっしょり　　　2　ひんやり　　　　3　ひっそり　　　　4　ぽかぽか

3 道路をそんなに（　　）渡っていたら、車にひかれるよ。
　　1　のびのび　　　　2　のろのろ　　　　3　ひやひや　　　　4　むかむか

4 留学のことは、落ち着いて家族と（　　）相談してから決めたほうがいい。
　　1　じっくり　　　　2　しみじみ　　　　3　しばしば　　　　4　しっとり

5 子供が生まれて、親としての責任の重さを（　　）と感じた。
　　1　どっしり　　　　2　びっしり　　　　3　おっとり　　　　4　ずっしり

6 友達が（　　）荷物を整理してくれたおかげで、引っ越しが早く終わった。
　　1　ざっと　　　　　2　いきいきと　　　3　そわそわと　　　4　てきぱきと

7 その空家の庭には木や草が（　　）と生えていて、昼でも暗かった。
　　1　きっぱり　　　　2　ぎっしり　　　　3　びっしり　　　　4　ぐちゃぐちゃ

8 昨日は暑かったから、少し歩いただけでシャツが汗で（　　）になった。
　　1　ぐったり　　　　2　びっしょり　　　3　へとへと　　　　4　ぼろぼろ

9 徹夜で勉強をしていたら、眠くて頭が（　　）してきた。
　　1　おっとり　　　　2　うんざり　　　　3　ぼんやり　　　　4　のんびり

10 田村選手はオリンピックで優勝するため、毎日（　　）になるまで練習した。
　　1　くたくた　　　　2　ぐったり　　　　3　ひやひや　　　　4　じめじめ

2. ＿＿の言葉に意味が最も近いものを、1・2・3・4から一つ選びなさい。(1点×5問)

1 しつこく飲み会に誘われたが、きっぱり断った。
　　1　きっかり　　　　2　なんとか　　　　3　はっきり　　　　4　やさしく

2 昨日は一日中家でのんびりしていた。
　　1　のびのび　　　　2　ゆっくり　　　　3　がっかり　　　　4　じっとり

3 うちの庭にはミカンの木があって、冬になると、ミカンがどっさり取れる。
　　1　少し　　　　　　2　たくさん　　　　3　まあまあ　　　　4　重いほど

4 文句ばかり言っていないで、さっさと部屋の掃除をしなさい。
　　1　きちんと　　　　2　きれいに　　　　3　まじめに　　　　4　早く

5 病気になったときに、普段から健康には気を付けなければならないとつくづく思った。
　　1　かなり　　　　　2　少し　　　　　　3　強く　　　　　　4　ときどき

3. 次の言葉の使い方として最もよいものを、1・2・3・4から一つ選びなさい。(2点×5問)

1 ほやほや

1 彼に電話をしたら、ほやほやに家まで来てくれた。

2 新婚ほやほやの川口さんはとても幸せそうだ。

3 やっぱり、ほやほやのご飯はおいしい。

4 顔ほやほやのところまで近づいて、犬の写真を撮った。

2 むかむか

1 このレストランの料理はむかむかしすぎていて、おいしくない。

2 わがままな彼の顔を見ただけで、腹が立ってむかむかする。

3 彼女はとても優しい性格で、いつもむかむかしている。

4 私が転んだのを見て、彼はむかむか笑っていた。

3 くよくよ

1 八時間休まずに働いたので、家に帰ったときにはくよくよだった。

2 部屋の中がくよくよしていて、とても汚い。

3 あこがれていた先生とお話しできると聞いて、とてもくよくよした。

4 終わったことをいつまでもくよくよ考えていても仕方がない。

4 そわそわ

1 今日は大事なお客様が家に来るので、母は朝からそわそわしている。

2 もう少しで車がぶつかりそうになったので、そわそわした。

3 誰もいない会議室は、そわそわしていた。

4 彼の提案は、まったく反対する人がおらず、そわそわと採用された。

5 せっせと

1 せっせとプレゼントを用意したので、ぜひ受け取ってください。

2 もう八時だから、せっせと準備をして出かけないと。

3 山田さんが私がやることにせっせと文句を言うので、腹が立つ。

4 山口さんは、授業料のために、せっせとアルバイトをしてお金をためている。

Ⅰ. 言葉と例文 ≫

1 ウォーミングアップ

どんな意味でしょう？――

A：これからちょっと課長のところに顔を出してきます。

B：顔を出す？　どういう意味ですか。

2 言葉

顔	～が広い	彼女は顔が広いので、いろいろな人を紹介してもらうことがある。
	～を貸す	少し頼みがあるので、明日、顔を貸してほしい。
	～を出す	帰る前に事務所に顔を出して、明日の予定を確認した。
頭	～が上がらない	とてもお世話になった人なので、頭が上がらない。
	～が痛い	不景気で給料が下がってしまい、来月の生活費のことで頭が痛い。
	～が固い	若くても、頭が固くて、人の意見をあまり聞かない人もいる。
	～に来る	何度やめてほしいと言っても、やめないので、本当に頭に来る。
	～を下げる	迷惑を掛けた人に頭を下げる。
	～を冷やす	頭を冷やしてから、もう一度話し合おうと思う。
目	～がない	甘いものに目がないので、ケーキを見るとつい食べてしまう。
	～に浮かぶ	私の合格の知らせを聞いて喜ぶ両親の様子が目に浮かんだ。
	～に付く	家族の写真をいつも目に付くところに置いている。
	～を付ける	これから注目の分野としてアニメに目を付けている。
	～を通す	先生がレポートに目を通して、コメントをしてくれた。
口	～がうまい	店員があまりにも口がうまいので、つい買いすぎてしまった。
	～が重い	彼女は家庭がうまくいっていないらしく、家族の話になると口が重くなる。
	～が堅い	彼女は口が堅いから、絶対に誰にも話さないだろう。
	～が軽い	彼は口が軽いから、あまり重要なことは話さないほうがいい。
	～が滑る	うっかり口が滑って、言ってはいけないことを話してしまった。
	～に合う	彼のために料理を作ったが、彼の口に合うだろうか。
	～にする	初めは不満を口にしていたが、今はあきらめて何も言わなくなった。
	～に出す	何度も口に出して練習すると、覚えられる。
	～を出す	自分に関係のないことに口を出すのは、あまりよくないと思う。

耳 (みみ)	〜が痛い (いた)	練習が足りないことは自分でもよくわかっていて、監督の言葉は耳が痛い。
	〜が早い (はや)	さっきほかの人に話したことを知っているとは、彼はなんて耳が早いんだ。
	〜にする (みみ)	この店はとてもおいしいという話を耳にしたので、食べに来た。
	〜を貸す (か)	経験者の意見には耳を貸したほうがいい。
鼻 (はな)	〜が高い (たか)	みんなが兄のことをほめるので、妹として鼻が高い。
	〜で笑う (わら)	一生懸命考えて出したアイデアを鼻で笑われて無視されたので、頭に来た。
手 (て)	〜が掛かる (か)	私は、わがままで、手が掛かる子供だったそうで、親は大変だったらしい。
	〜が空く (あ)	その作業が終わって手が空いたら、こちらも手伝ってください。
	〜が足りない (た)	今日はアルバイトの人が急に休んだので手が足りなくて、困った。
	〜が出ない (で)	学生の私には、五万円のバッグは高すぎて手が出ない。
	〜が離せない (はな)	今、忙しくて手が離せないので、一時間後に来てください。
	〜につかない	合格発表の前日は、結果が気になって何も手につかなかった。
	〜を貸す／借りる (か)(か)	重い荷物を運ぶのに弟が手を貸してくれた。
	〜を組む (く)	これからはライバル会社と手を組んで海外に進出する。
	〜を出す (だ)	いろいろな事業に手を出した結果、会社の経営が傾いた。／ 先に手を出したほうが悪いと思うが、その原因を作ったのは相手のほうだ。
	〜をつける	宿題が多すぎて、何から手をつけていいのかわからない。
腕 (うで)	〜がいい	あの歯医者は腕がいいという評判だ。
	〜を上げる／が上がる (あ)(あ)	一年前と比べて料理の腕を上げた。
肩 (かた)	〜を落とす (お)	「計画が失敗するとは思わなかった」と肩を落として、話していた。
	〜を貸す (か)	足が痛くて歩けなかったので、肩を貸してもらって部屋まで戻った。

Ⅱ. 基本練習 ≫

1 意味　　慣用句の意味を確認しよう。

例のように意味の近いものを結びなさい。

(1)　口がうまい・　　　・自分の弱点について言われて、聞くのがつらい

　　　目がない　・　　　・技術などがこれまでより上達する

　　　耳が痛い　・　　　・口だけでほめたり、人の気分をよくするように話す

　　　口が軽い　・　　　・自分の気持ちがコントロールできないくらい好きである

　　　腕を上げる・　　　・おしゃべりで、言ってはいけないことも話してしまう

(2)　目を通す　・　　　・とても世話が必要である

　　　手が掛かる・　　　・自慢ができる

　　　鼻が高い　・　　　・状況が想像できる

　　　目に浮かぶ・　　　・全部を大体見ること

　　　耳にする　・　　　・聞く・聞こえてくる

(3)　手をつける・　　　・怒る・怒りの気持ちを持つ

　　　頭が痛い　・　　　・仕事などを始める

　　　目を付ける・　　　・難しいことがあって、心配で悩んでいる

　　　手を組む　・　　　・協力する

　　　頭に来る　・　　　・これから期待できるもの、よいものとして注目する

(4)　口が堅い　・　　　・人の言うことを聞く

　　　耳を貸す　・　　　・ばかにする

　　　鼻で笑う　・　　　・秘密など言ってはいけないことを簡単に話さない

　　　頭が固い　・　　　・あまり話さない・おしゃべりではない

　　　口が重い　・　　　・新しい考えなどをなかなか理解や納得しようとしない

(5)　顔が広い　・　　　・知人が多い

　　　口が滑る　・　　　・ある場所に行く

　　　手が出ない・　　　・冷静になる・気持ちを落ち着かせる

　　　頭を冷やす・　　　・自分の能力ではできない

　　　顔を出す　・　　　・人に話してはいけないことをうっかり話してしまう

2 用法 使い方に気を付けよう。

下線の言葉の使い方が正しい文には○、間違っている文には×を（　）に入れなさい。

また、間違っている場合には、下線の言葉に代わる正しい言葉を書きなさい。

例　前よりもずっと料理の<u>腕がよくなった</u>。　　　　　　　　　（　×　）　　腕が上がった

(1)　あまりにも頭に来たので、思わず<u>手をつけて</u>しまった。　（　　）＿＿＿＿＿＿＿

(2)　あまり好きではない人だと、悪いところが<u>目を付ける</u>。　（　　）＿＿＿＿＿＿＿

(3)　けがをした友人に<u>肩を貸して</u>、部屋まで連れていった。　（　　）＿＿＿＿＿＿＿

(4)　会議にちょっと<u>顔を出して</u>、すぐに出かけた。　　　　　（　　）＿＿＿＿＿＿＿

(5)　発表資料を作るとき、友人が<u>顔を貸して</u>くれた。　　　　（　　）＿＿＿＿＿＿＿

(6)　彼女は私が失敗した様子を見て、<u>目で笑った</u>。　　　　　（　　）＿＿＿＿＿＿＿

(7)　<u>口が堅い</u>人だと思っていたら、実はとても話好きだった。（　　）＿＿＿＿＿＿＿

3 用法 使い方に気を付けよう。

☐☐☐の中から適当な言葉を選んで、（　　　）に入れなさい。

(1)　| 耳　手　口　目 |

①　この間会った彼女のことが気になって何も（　　　　　）につかない。

②　まだ無名の画家の絵に（　　　　）を付けた。

③　そのうわさは以前（　　　　）にしたことがある。

④　自分の気持ちを正直に（　　　　）に出すことはなかなかできない。

(2)　| 手　鼻　口　顔 |

①　祖父は社長をしていたので、とても（　　　　）が広い。

②　つい（　　　　　）が滑って、友達の秘密を話してしまった。

③　会場の準備をしているんだけど、（　　　　）が足りないので、何人か手伝ってください。

④　自分の子供が優秀な成績を取って（　　　　）が高い。

(3)　| 頭　口　手　肩 |

①　不合格の知らせに（　　　　）を落とした。

②　思ったことをすぐ（　　　　）にしないほうがいい。

③　この問題は難しすぎて（　　　　）が出ない。

④　彼は妻には（　　　　）が上がらない。

Ⅲ. 実践練習 ≫

1. ＿＿の言葉に意味が最も近いものを、1・2・3・4から一つ選びなさい。（1点×5問）

1 興奮しているので、少し落ち着いたほうがいいと思う。

   1　口にした　　　　2　耳を貸した　　　3　頭を冷やした　　4　肩を落とした

2 合格の知らせを聞いて、彼女が喜ぶ顔が想像できる。

   1　目に付く　　　　2　目に遭う　　　　3　目に来る　　　　4　目に浮かぶ

3 彼はおしゃべりで、言ってはいけないこともすぐにぺらぺらと話してしまう。

   1　口が滑って　　　2　口が軽くて　　　3　口を出して　　　4　口がうまくて

4 彼女は自分の意見を聞いてもらえなくて、がっかりしていた。

   1　手につかないで　2　頭が下がって　　3　耳が痛くなって　4　肩を落として

5 まず自分のできることから始めるつもりだ。

   1　手を貸す　　　　2　手をつける　　　3　腕を組んで　　　4　腕を貸す

2. 次の言葉の使い方として最もよいものを、1・2・3・4から一つ選びなさい。（2点×3問）

1 組む

   1　子供の手を組んで、歩いている。

   2　いろいろな考えをよく組んでから報告書を書いた。

   3　二人で手を組んで、計画を立てた。

   4　この計画はよく組んであるので、成功するだろう。

2 空く

   1　腕が空いたので、少し休むことにした。

   2　仕事が早く終わって、やっと頭が空いた。

   3　朝からが目が空かなくて、新聞を読む暇もない。

   4　今、手が空かないので、ちょっと待ってください。

3 通す

   1　友人と心を通すことができて、うれしい。

   2　試験前に教科書に目を通す。

   3　大阪まで行ったので、少し足を通して京都まで行った。

   4　親のアドバイスに耳を通したほうがいいと思う。

3. （　　）に入れるのに最もよいものを1・2・3・4から一つ選びなさい。（1点×14問）

1 ちょうど（　　　）が離せなかったので、代わりに電話に出てもらった。
　　1　顔　　　　　　　2　手　　　　　　　3　腕　　　　　　　4　口

2 彼女は（　　　）が早くて、いろいろなうわさをよく知っている。
　　1　手　　　　　　　2　口　　　　　　　3　耳　　　　　　　4　頭

3 彼は（　　　）が固くて、自分の考え以外を認めない。
　　1　頭　　　　　　　2　顔　　　　　　　3　腕　　　　　　　4　耳

4 本当のことを言われて、（　　　）が痛かった。
　　1　頭　　　　　　　2　気　　　　　　　3　耳　　　　　　　4　口

5 彼は自分の間違いを認めない人で（　　　）に来る。
　　1　手　　　　　　　2　腹　　　　　　　3　顔　　　　　　　4　頭

6 子供が小学生になり、少しずつ手が（　　　）なってきた。
　　1　離せなく　　　　2　掛からなく　　　3　つかなく　　　　4　足りなく

7 今度の新入社員は何回も同じ間違いをするので、頭が（　　　）。
　　1　痛い　　　　　　2　固い　　　　　　3　下がる　　　　　4　来る

8 彼女は口が（　　　）ので、信用して何でも話せる。
　　1　重い　　　　　　2　軽い　　　　　　3　堅い　　　　　　4　うまい

9 しなければいけないことを書いて、目に（　　　）ところに張っておく。
　　1　つく　　　　　　2　かける　　　　　3　する　　　　　　4　うかぶ

10 留学させてほしいと言って、両親に何度も頭を（　　　）。
　　1　下がった　　　　2　下げた　　　　　3　下ろした　　　　4　下りた

11 私が何度言っても、妹はアドバイスに耳を（　　　）ことはしなかった。
　　1　貸す　　　　　　2　出す　　　　　　3　かける　　　　　4　する

12 そんなに人をほめる言葉が出るなんて、あなたも口が（　　　）ですね。
　　1　いい　　　　　　2　高い　　　　　　3　うまい　　　　　4　軽い

13 日本料理は味が薄くて、私の口に（　　　）。
　　1　滑らない　　　　2　しない　　　　　3　うまくない　　　4　合わない

14 チョコレートに目が（　　　）、新製品が出たらすぐ買う。
　　1　ついて　　　　　2　なくて　　　　　3　早くて　　　　　4　食わなくて

Ⅰ. 言葉と例文　≫

1 ウォーミングアップ

少しだけ違う。――

A：母がこのニュースを見て、<u>心を痛くして</u>いましたよ。

B：「心を痛くして」ではなく、心を_____という言い方がありますよ。

2 言葉

腹	～が立つ／を立てる	店員の対応がとても失礼で腹が立つ。
	～が決まる／を決める	悩んでいたが、腹を決めて、転職することにした。
胸	～が一杯になる	故郷の母から励ましの手紙が来て、胸が一杯になった。
	～に納める	今、私が話したことはあなた一人の胸に納めておいてほしい。
	～を打つ	人生経験の豊かな人の話は、人の胸を打つ。
	～を張る	自分が間違ったことをしていないのであれば、堂々と胸を張っていなさい。
足	～を運ぶ	何度も先生の研究室に足を運んで、研究方法の相談をした。
	～を引っ張る	自分の失敗がチームの足を引っ張ってしまった。
	～を延ばす	京都に行くなら、もう少し足を延ばして奈良のほうまで行きたい。
身	～が入る	日本に留学することが決まり、日本語の勉強にますます身が入った。
	～につける	どこに行っても恥ずかしくないマナーを身につけたい。
気	～が合う	気が合う友人が集まって、一緒にスキーに行く。
	～が多い	彼は気が多くて、興味を持ったことを何でもやってみようとする。
	～が重い	けんかした友達と会うのは、気が重い。
	～が利く	彼はよく気が利くので、何かあるとすぐに気付いてそれに対応する。
	～が進まない	今日は疲れているので、みんなで食事に行くのは気が進まない。
	～が済む	言いたいことを全部言ったら、気が済んだ。
	～が小さい	気が小さいので、強く言われると、何も言えなくなってしまう。
	～が散る	周りでおしゃべりする人がいて、気が散って勉強できない。
	～が早い	旅行の一週間前からトランクに荷物を入れておくなんて、気が早い。
	～が短い	父は気が短いので、待たせるとすぐに怒る。
	～が向く	今はあまり興味はないけど、気が向いたら読んでみます。
	～に掛かる	この間から元気のない友達のことが、気に掛かっていたので、電話してみた。
	～に食わない	あの客は気に食わないことがあると、いつもすぐに大声で文句を言う。
	～にする	最近、姉は少し太ってきたことを気にしている。

気 (き)	〜に入(い)る	周囲(しゅうい)の環境(かんきょう)が気(き)に入(い)ったので、ここに引(ひ)っ越(こ)すことにした。
	〜を落(お)とす	彼女(かのじょ)は先生(せんせい)に怒(おこ)られて、気(き)を落(お)としているようだ。
	〜を取(と)られる	猫(ねこ)に気(き)を取(と)られて、事故(じこ)を起(お)こしそうになった。
	〜を遣(つか)う	クラスメートが元気(げんき)のない私(わたし)に気(き)を遣(つか)って、いろいろと励(はげ)ましてくれる。
息 (いき)	〜が合(あ)う	双子(ふたご)の兄弟(きょうだい)だけあって、ぴったり息(いき)が合(あ)った演奏(えんそう)をしている。
	〜が切(き)れる	運動不足(うんどうぶそく)で、階段(かいだん)を上(あ)がっただけで息(いき)が切(き)れる。
	〜が長(なが)い	この国際交流(こくさいこうりゅう)の活動(かつどう)は息(いき)が長(なが)く、二十年(にじゅうねん)も続(つづ)いている。
心 (こころ)	〜が広(ひろ)い	失敗(しっぱい)をした人(ひと)にもう一度(いちど)チャンスをあげるなんて、心(こころ)が広(ひろ)いですね。
	〜が狭(せま)い	自分(じぶん)と意見(いけん)が違(ちが)ったからといって、彼女(かのじょ)を無視(むし)するのは、心(こころ)が狭(せま)いと思(おも)う。
	〜を込(こ)める	大切(たいせつ)な人(ひと)のために心(こころ)を込(こ)めてお弁当(べんとう)を作(つく)る。
	〜を痛(いた)める	大地震(おおじしん)で家(いえ)や家族(かぞく)を失(うしな)った人(ひと)を見(み)て、心(こころ)を痛(いた)めている。
その他(た)	名(な)が売(う)れる	テレビに出(で)るようになって、少(すこ)しずつ名(な)が売(う)れてきた。
	力(ちから)を入(い)れる	漢字(かんじ)があまり読(よ)めないので、漢字(かんじ)の勉強(べんきょう)に力(ちから)を入(い)れている。
	虫(むし)の居所(いどころ)が悪(わる)い	兄(あに)は虫(むし)の居所(いどころ)が悪(わる)いのか、私(わたし)が話(はな)しかけても、返事(へんじ)もしない。
	骨(ほね)が折(お)れる	整理(せいり)されていない資料(しりょう)の中(なか)から必要(ひつよう)な資料(しりょう)を探(さが)すのは、骨(ほね)が折(お)れる。
	首(くび)になる／首(くび)にする	不景気(ふけいき)で会社(かいしゃ)の経営(けいえい)が悪化(あっか)したため、首(くび)になった。

Ⅱ．基本練習　≫

1 意味　慣用句の意味を確認しよう。

例のように意味の近いものを結びなさい。

(1)　気が散る　　　・　　　・予定した場所よりも、もっと遠くへ行く

　　心が狭い　　　・　　　・あることへの見方が偏っていて、状況に合わせられない

　　足を延ばす　　・　　　・怒る

　　気が小さい　　・　　　・小さいことを気にする

　　腹を立てる　　・　　　・集中できない

(2)　息が切れる　　・　　　・息ができなくなって、苦しくなる

　　力を入れる　　・　　　・自信を持つ・得意になる

　　胸を張る　　　・　　　・心配になっている

　　気に掛かる　　・　　　・一生懸命にする

　　心を込める　　・　　　・心の中を思いやりの気持ちや真心でいっぱいにして、何かをする

(3)　骨が折れる　　・　　　・長い間、ずっと続いている

　　気が進まない・　　　・あまり積極的にしようと思わない

　　息が長い　　　・　　　・何かの目的があって、わざわざ行く

　　足を運ぶ　　　・　　　・とても難しくて苦労する

　　気が済む　　　・　　　・満足する・心が落ち着く

(4)　胸に納める　　・　　　・決心する

　　身が入る　　　・　　　・一生懸命にする

　　腹が決まる　　・　　　・何かを一緒にする調子や気持ちがぴったり合う

　　気が向く　　　・　　　・自分の心に隠したまま、誰にも言わない

　　息が合う　　　・　　　・何かをしたい気持ちになる

(5)　気を落とす　　・　　　・知識、技術などを自分のものにする

　　身につける　　・　　　・心配する・心に苦痛を感じる・悲しむ

　　気が利く　　　・　　　・人に知られるようになる・有名になる

　　名が売れる　　・　　　・がっかりする・落ち込む

　　心を痛める　　・　　　・細かいところにまで気が付く

2 用法 使い方に気を付けよう。

下線の言葉の使い方が正しい文には○、間違っている文には×を（　）に入れなさい。

また、間違っている場合には、下線の言葉に代わる正しい言葉を書きなさい。

例 感謝の心を入れて、両親に手紙を書いた。　　　　　（ × ）　　　　心をこめて

(1) とても優しくて、周りの人に気にする人だ。　　　　（　　）＿＿＿＿＿＿＿＿＿

(2) 気が向いたときにしか、勉強しない。　　　　　　　（　　）＿＿＿＿＿＿＿＿＿

(3) もう少し足を延ばして、公園まで歩こう。　　　　　（　　）＿＿＿＿＿＿＿＿＿

(4) 約束を守らない人が許せないのは気が狭いのだろうか。（　　）＿＿＿＿＿＿＿＿＿

(5) 気が早くて、人の話を最後まで聞かないことが多い。　（　　）＿＿＿＿＿＿＿＿＿

(6) 同僚に出世の足を取られた。　　　　　　　　　　　（　　）＿＿＿＿＿＿＿＿＿

(7) 気に掛かる友達といるのは楽しい。　　　　　　　　（　　）＿＿＿＿＿＿＿＿＿

3 用法 使い方に気を付けよう。

▢▢▢の中から適当な言葉を選んで、（　　　）に入れなさい。

(1)　▢ 足　名　身　気 ▢

　　① 何度も不動産屋に（　　　　　）を運んで、部屋を探した。

　　② 自分の興味があることには、（　　　　　）が入るのだけど……。

　　③ かっこいい人を紹介してくれると言われたが、あまり（　　　　　）が進まない。

　　④ あそこに座っている男性は（　　　　　）の売れた作家だ。

(2)　▢ 気　息　力　心 ▢

　　① どんな意見でも耳を貸すことができる（　　　　　）の広い人になりたい。

　　② 彼は（　　　　　）が多くて、興味を持つと、すぐに試してみようとする。

　　③ これは昔から売られている（　　　　　）の長い商品だ。

　　④ これから人材の育成に（　　　　　）を入れる必要がある。

(3)　▢ 気　首　骨　腹 ▢

　　①（　　　　　）が小さいので、知らない人の前では自信を持って話せない。

　　②「行動して無駄なことは何もない」という友人の一言で（　　　　　）が決まった。

　　③ 会社のお金を勝手に使った社員を（　　　　　）にした。

　　④ この資料は難しい言葉で書かれているので、読むのに（　　　　　）が折れる。

III. 実践練習 ≫

1. ＿＿の言葉に意味が最も近いものを、1・2・3・4から一つ選びなさい。(1点×5問)

1 初めは気に食わないやつだと思ったが、話をしてみたらいい人だった。

　1　気に入らない　　2　気にならない　　3　気にしない　　4　気に掛（か）けない

2 子供を思う親の言葉を聞いて、感動した。

　1　心を込めた　　　2　身が入った　　　3　気に入った　　4　胸を打たれた

3 何度注意しても静かにしないので、頭に来た。

　1　気が散った　　　2　腹を立てた　　　3　胸を打った　　4　心を痛めた

4 試験の結果が気になって、落ち着かない。

　1　気に入って　　　2　気に掛（か）かって　3　気に食わなくて　4　気が向いて

5 父は朝から虫の居所が悪くて、いらいらしている。

　1　感じが悪くて　　2　気持ちが悪くて　3　機嫌（きげん）が悪くて　4　感情が悪くて

2. 次の言葉の使い方として最もよいものを、1・2・3・4から一つ選びなさい。(2点×3問)

1 散る

　1　心が散ってしまって、落ち着かない。

　2　話が散っていて、よくわからない。

　3　大勢で話をするので、声が散っている。

　4　気が散って、考えがまとめられない。

2 延ばす

　1　忙しいときに、先輩（せんぱい）が身を延ばして手伝ってくれた。

　2　まだ時間があるので、少し足を延ばして、ほかの店も見てみよう。

　3　仕事が早く終わったので、少し気を延ばしている。

　4　息を延ばして試合を見守った。

3 利く

　1　あの人は知り合いが多いので、力が利く。

　2　彼女は気が利く人なので、必要なものを準備してくれるだろう。

　3　友達に悩みを話したら、心が利いてきて元気になった。

　4　車があるので、足が利いて、とても便利だ。

3. （　　）に入れるのに最もよいものを1・2・3・4から一つ選びなさい。（1点×14問）

1 自分の計画が失敗したことを説明しなければならないので（　　）が重い。

　　1　気　　　　　　　2　胸　　　　　　　3　心　　　　　　　4　身

2 中国語を（　　）につけて、将来は中国で働きたい。

　　1　腕　　　　　　　2　力　　　　　　　3　腹　　　　　　　4　身

3 自分の正しさを（　　）を張って主張する。

　　1　腹　　　　　　　2　心　　　　　　　3　身　　　　　　　4　胸

4 これでお別れするのかと思うと、（　　）が一杯になった。

　　1　気　　　　　　　2　心　　　　　　　3　胸　　　　　　　4　腹

5 毎日、ジョギングしていたら、階段を上っても（　　）が切れなくなった。

　　1　息　　　　　　　2　気　　　　　　　3　力　　　　　　　4　骨

6 彼はきれいな女性に気を（　　）、私の話を聞いていない。

　　1　散らせて　　　　2　向けて　　　　　3　取られて　　　　4　入れて

7 母は気が（　　）、まだ十分に時間があるのに、もう出かけようとしている。

　　1　多くて　　　　　2　早くて　　　　　3　小さくて　　　　4　軽くて

8 これ以上、この事実を自分の胸に（　　）おくことはできない。

　　1　納めて　　　　　2　入れて　　　　　3　つくして　　　　4　こめて

9 この間、知り合った彼のことが気になって、勉強に身が（　　）。

　　1　進まない　　　　2　重い　　　　　　3　入らない　　　　4　つかない

10 父は何でも自分で確認しないと気が（　　）。

　　1　進まない　　　　2　済まない　　　　3　食わない　　　　4　合わない

11 あの二人の選手は、まるで兄弟のように息が（　　）。

　　1　合っている　　　2　切れている　　　3　長い　　　　　　4　多い

12 国中の人が大事故のニュースに心を（　　）。

　　1　痛めている　　　2　打たれている　　3　取られている　　4　落としている

13 人の言うことをそんなに気に（　　）ほうがいい。

　　1　取られない　　　2　食わない　　　　3　落とさない　　　4　しない

14 誰でも失敗はするのだから、気を（　　）ください。

　　1　張らないで　　　2　取られないで　　3　落とさないで　　4　痛めないで

Ⅰ. 言葉と例文 ≫

1 ウォーミングアップ

(1) （　　）にはどんな助詞が入りますか。——

　「友達（　　）話し合う」「友達（　　）話しかける」

(2) このほかに「〜合う」「〜かける」の付く言葉を知っていますか。——

2 言葉

1. 複合動詞—動詞の後ろに付くもの
〜かける　話しかける・笑いかける・問いかける・訴えかける・ほほえみかける 　　　　　　恥ずかしくて、好きな人に自分から話しかけることができない。
〜合う　話し合う・殺し合う・見つめ合う・助け合う・言い合う・ほほえみ合う 　　　　　　進学について両親と話し合ったが、結論は出なかった。
〜直す　考え直す・建て直す・読み直す・温め直す・見直す・書き直す・見つめ直す 　　　　　　宿題を提出する前に、間違いがないか、もう一度見直した。
〜上がる　書き上がる・出来上がる・編み上がる・焼き上がる・炊き上がる・ゆで上がる 　　　　　　一週間掛かったが、昨日、やっとレポートが書き上がった。
〜出す　呼び出す・連れ出す・貸し出す・持ち出す・抜き出す・飛び出す・逃げ出す 　　　　　　電話で彼女を呼び出して、プレゼントを渡した。 　　　　　　歩き出す・泣き出す・怒り出す・歌い出す・言い出す・話し出す・痛み出す 　　　　　　急に妹が泣き出したので、びっくりした。
〜回る　歩き回る・見回る・走り回る・捜し回る・遊び回る・逃げ回る・飛び回る 　　　　　　家中捜し回ったのに、とうとう財布は見つからなかった。
〜込む　乗り込む・飛び込む・混ぜ込む・持ち込む・染み込む・駆け込む・詰め込む 　　　　　　飛行機の中にナイフやライターを持ち込むことは禁止されている。 　　　　　　信じ込む・思い込む・黙り込む・落ち込む・眠り込む・話し込む 　　　　　　彼女は私より年下だと思い込んでいたが、実は年上だった。

2. 複合動詞—動詞の前に付くもの

取り〜 [やり方、考えを] 取り入れる・[電池を] 取り替える・[予約を] 取り消す・[新聞で事件を] 取り上げる・[ポケットから財布を] 取り出す

受け〜 [留学生、提案を] 受け入れる・[仕事、授業を] 受け持つ・[荷物を] 受け取る

あて〜 [条件に] あてはまる・[海外の例を日本に] あてはめる

組み〜 [本棚を] 組み立てる・[白いシャツと黒いスカートを] 組み合わせる

追い〜 [泥棒を] 追いかける・[前の車を] 追い越す・[前の車に] 追い付く・[庭から猫を] 追い出す

振り〜 [過去を] 振り返る・[後ろを] 振り向く

差し〜 [前に手を] 差し出す・[給料から税金を] 差し引く

通り〜 [偶然人が] 通りかかる・[台風が] 通り過ぎる

乗り〜 [電車に] 乗り遅れる・[駅を] 乗り越す・[困難を] 乗り越える

見〜 [町で看板を] 見かける・[立派な先輩を] 見習う・[空港で友達を] 見送る・[写真を] 見つめる・見慣れた[景色]

引き〜 [仕事を] 引き受ける・[途中で家に] 引き返す・[預けた荷物を] 引き取る・[どこかに行こうとする人を] 引き止める・[銀行でお金を] 引き出す

引っ〜 [足をコードに] 引っかける・[木に風船が] 引っかかる・[猫が壁を] 引っかく・[店員が店の奥に] 引っ込む・[キャプテンがチームを] 引っ張る

打ち〜 [うわさを] 打ち消す・[旅行の前に友達と] 打ち合わせる

すれ〜 [道できれいな人と] すれ違う

3. その他—後ろに付いて名詞になるもの

〜遣い	言葉遣い・色遣い・金遣い	面接では言葉遣いに気を付けよう。
〜沿い	道沿い・川沿い・海岸沿い	道沿いに桜の木が植えられている。
〜扱い	子供扱い・犯人扱い	親はいつまでも私を子供扱いする。
〜明け	週明け・夜明け・休み明け	明日は日曜なので週明けに伺います。
〜済み	使用済み・登録済み・解決済み	使用済みの電池を捨てた。
〜連れ	家族連れ・子供連れ・三人連れ	デパートは家族連れでいっぱいだ。
〜違い	色違い	色違いのTシャツを三枚買った。
	人違い・計算違い	知り合いだと思っていたら人違いだった。
〜たて	焼きたて・出来たて・とれたて	とれたての新鮮な野菜を食べる。
〜おき	二メートルおき・一日おき・一つおき	二メートルおきに木が植えられている。
〜ぶり	仕事ぶり・話しぶり・暮らしぶり	彼の仕事ぶりは部長にも評価されている。
〜つき	目つき・顔つき・体つき	娘の顔つきが最近妻に似てきた。

II. 基本練習 ≫

1 意味　後ろに付く動詞の意味の違いに気を付けよう。

（　　）の中から適当な言葉を選びなさい。下線部はヒントです。

(1) 今まで何も言わなかった彼が、突然「僕は反対だ」と言い（　合った　出した　）。

(2) 困ったときはお互いに助け（　合って　出して　）頑張りましょう。

(3) うちの犬がいなくなってしまったので、町中歩き（　出して　回って　）捜した。

(4) 警察に追われた犯人は、橋の上から川に飛び（　込んだ　回った　）。

(5) 隣に座った女性が、私ににっこり笑い（　かけて　出して　）くれた。

(6) 手紙に大切なことを書き忘れてしまい、もう一度書き（　上がる　直す　）ことにした。

(7) 教室にある辞書は学校のものなので、外に持ち（　込まないで　出さないで　）ください。

2 意味　語の意味の違いに気を付けよう。

　　　　の中から適当な言葉を選び、必要なら形を変えて（　　）に入れなさい。下線部はヒントです。

(1)　| 取り上げる　　取り消す　　取り入れる　　取り出す |

　① この店はよく雑誌に（　　　　　　）いるので有名だ。

　② 我が社は、伝統を守りながらも、常に最新の技術を（　　　　　　）きました。

　③ 旅行に行けなくなったので、ホテルの予約を（　　　　　　）なければならない。

　④ パソコンからCDを（　　　　　　）ときは、このボタンを押してください。

(2)　| 受け入れる　　受け持つ　　受け取る |

　① 今学期は、田中先生がこのクラスを（　　　　　）ことになった。

　② この大学は、毎年百人以上の留学生を（　　　　　）いる。

　③ お礼を渡そうとしたが、彼は「お気持ちだけ」と言って（　　　　　）くれなかった。

(3)　| 組み立てる　　組み合わせる |

　① 兄は電気屋で部品を買ってきて、自分でパソコンを（　　　　　）いる。

　② 伝統的な技術と新しい技術を（　　　　　）、日本の気候に合った新しい住宅を作る。

(4)　| 追いかける　　追い越す　　追い付く　　追い出す |

　① 出発が遅れてしまったが、新幹線で行けばみんなに（　　　　　　）ことができるだろう。

　② 子供のとき、犬に（　　　　　）とても怖かったので、今でも犬が嫌いだ。

　③ 仕事をせずにテレビばかり見ていたら、妻に家から（　　　　　　）しまった。

　④ 道が狭いので、前の車を（　　　　　　）ことができない。

(5) | 乗り遅れる　　乗り越す　　乗り越える |

① 彼は、医者として成功するまで、多くの困難を（　　　　　　）きた。

② 九時のバスに（　　　　　　）ら、次は十時まで来ないよ。

③ 帰りの電車で眠ってしまい、降りる駅を（　　　　　　）しまった。

(6) | 引き受ける　　引き返す　　引き取る　　引き止める　　引き出す |

① 修理のために預けた車を、工場に（　　　　　　）に行った。

② 銀行から預金を（　　　　　　）場合、何が必要ですか。

③ きっと彼ならこの仕事を（　　　　　　）くれるだろう。

④ 急いで教室を出ようとしたら、先生に（　　　　　　）しまった。

⑤ 傘を忘れたのに気が付いて、慌てて学校に（　　　　　　）が、もう傘はなかった。

(7) | 引っかける　　引っかかる　　引っかく　　引っ込む　　引っ張る |

① 彼がクラスの中心になって皆を（　　　　　　）くれれば、きっといいクラスになるだろう。

② 公園を歩いていたら、ロープに足を（　　　　　　）、転んでしまった。

③ 注文するものが決まったのに、店員が奥に（　　　　　　）しまって、なかなか出てこない。

④ 兄弟げんかをしたとき、妹につめで顔を（　　　　　　）しまった。

⑤ ネックレスがセーターに（　　　　　　）しまって取れない。

3 意味　　意味を確認しよう。

下線の言葉に意味が最も近いものを線で結びなさい。

(1)　会計係を受け持つ　　　　・　　　　・相談する

　　　お金を引き出す　　　　・　　　　・担当する

　　　発表会について打ち合わせる・　　　・合う

　　　予約を取り消す　　　　・　　　　・下ろす

　　　条件にあてはまる　　　　・　　　　・キャンセルする

(2)　真面目な仕事ぶり　・　　　・〜たばかり

　　　きれいな色遣い　　・　　　・〜をしている様子

　　　出来たての料理　　・　　　・〜の使い方

　　　解決済みの問題　　・　　　・既に〜した

　　　子供連れの客　　　・　　　・〜と一緒

Ⅲ. 実践練習 ≫

1. （　　）に入れるのに最もよいものを、1・2・3・4から一つ選びなさい。(1点×10問)

☐1 このセーターが（　　）ら、次は何を編もうかな。

　　1　編み込んだ　　　2　編み直した　　　3　編み上がった　　　4　編み出した

☐2 娘は、お客様が来ると、あいさつもせずに部屋に（　　）しまう。

　　1　引っ込んで　　　2　引き出して　　　3　引っかけて　　　4　引き止めて

☐3 夜間は看護師さんがときどき病室を（　　）いる。

　　1　見直して　　　　2　見回って　　　　3　見かけて　　　　4　見合って

☐4 油の多い肉料理には、さっぱりした野菜料理を（　　）といいですよ。

　　1　組み合わせる　　2　組み立てる　　　3　組み合う　　　　4　組み立つ

☐5 あの二人はいつもお互いに文句を（　　）いて、とても仲が悪い。

　　1　言い直して　　　2　言い出して　　　3　言い合って　　　4　言いかけて

☐6 マラソン大会の結果は二位だった。あと一人（　　）一位になれたのに。

　　1　追いかければ　　2　追い出せば　　　3　追い越せば　　　4　追い付けば

☐7 怒った息子が家を出ようとしたので、母親は慌てて息子を（　　）。

　　1　引き返した　　　2　引き止めた　　　3　立ち止まった　　　4　立ち上がった

☐8 社長が急に出張の予定を変えたため、ホテルの予約を（　　）。

　　1　吹き消した　　　2　かき消した　　　3　取り消した　　　4　打ち消した

☐9 A社は、新しい技術をどんどん（　　）いる。

　　1　取り入れて　　　2　取り出して　　　3　受け取って　　　4　引き取って

☐10 （　　）景色なのに、彼女といると、まったく違って見える。

　　1　見かけた　　　　2　見送った　　　　3　見つめた　　　　4　見慣れた

2. ＿＿の言葉に意味が最も近いものを、1・2・3・4から一つ選びなさい。(1点×5問)

☐1 明日から連休だから、仕事の続きは休み明けにやろう。

　　1　次の休み　　　　2　休みの後　　　　3　休みの前　　　　4　休みの間

☐2 母が焼きたてのケーキをもらってきた。

　　1　焼きかけ　　　　2　焼きすぎ　　　　3　焼く前　　　　　4　焼いたばかり

☐3 この薬は一日おきに飲んでください。

　　1　毎日　　　　　　2　毎晩　　　　　　3　一日に二回　　　4　二日に一回

☐4 友達と海外旅行に行くことになったが、忙しくて話し合う時間がない。

　　1　支払う　　　　　2　両替する　　　　3　相談する　　　　4　申し込む

☐5 彼ほど「天才」という言葉があてはまる作曲家はいないと思う。

　　1　合う　　　　　　2　合わない　　　　3　満足しない　　　4　満足する

3. 次の言葉の使い方として最もよいものを、1・2・3・4から一つ選びなさい。(1点×5問)

1 受け持つ

   1 教室に忘れ物があったので預かっているが、誰も受け持ちに来ない。

   2 相手が投げたボールを受け持ったら、すぐに投げ返さなければならない。

   3 このクラスの数学の授業は、田中先生が受け持つことになった。

   4 山田さん、大きい荷物を受け持っていたけど、旅行に行くのかな。

2 すれ違う

   1 町でよくすれ違うあの看板が気になって仕方がない。

   2 今回の台風は大きくて大変だったが、もうすれ違ったから大丈夫だ。

   3 この問題はよくすれ違う人がいるので、気を付けて答えを出してください。

   4 夕方、公園を散歩していると、よくジョギング中の人とすれ違う。

3 振り返る

   1 忘れ物をしてしまったので、家まで振り返った。

   2 自分の学生時代を振り返ってみると、必死に勉強した記憶があまりない。

   3 図書館で借りた本は、必ず二週間以内に振り返ってください。

   4 財布がないので、部屋中、あちこち振り返って捜したが、見つからなかった。

4 思い込む

   1 彼は頭がよさそうだと思い込んでいたら、やはりそうだった。

   2 やってみなければわからないのに、彼女はできないと思い込んでいる。

   3 明日は英語の試験があるから、単語を一生懸命思い込んだ。

   4 写真の整理をしていたら、昔のことをいろいろ思い込んだ。

5 金遣い

   1 息子は金遣いが荒くて、もらった給料もあっという間に使ってしまう。

   2 部長は金遣いがよくて、いつも部下においしいものをごちそうしてくれる。

   3 私はよくむだな買い物をしてしまうので、もう少し金遣いに気をつけよう。

   4 この子はまだ小さいので、金遣いがわかりません。

Ⅰ. 言葉と例文 ≫

1 ウォーミングアップ

(1) 「未・不・無・非」のつく言葉を知っていますか。——

(2) これらの漢字が付くとどんな意味になりますか。——

2 言葉

1. 意味が似ている漢字

非〜	非常識・**非公式・非公開・非課税**
不〜	不真面目・不注意・不景気・不完全・不健康・不自然・不得意・不規則・**不可能**
不〜	**不器用・不気味・不作法**
無〜	無意識・無関係・無関心・無計画・無責任・無表情・**無気力・無許可・無反応**
未〜	未確認・未解決・未経験・未開発・**未発表・未完成**

総〜	総人数・総人口・総面積・総復習・総選挙・総収入
全〜	全世界・全国民・全試合・全自動・全財産・**全科目**

各〜	各学校・各地域・各家庭・各都市・**各方面・各分野**
諸〜	諸外国・諸条件・諸問題・諸費用・**諸事情**

現〜	現住所・現市長・**現段階・現時点**
今〜	今年度・今学期・**今世紀・今シーズン**

前〜	前大統領・前首相・前社長・前会長・前年度
元〜	元大統領・元首相・元歌手・元スポーツ選手・元夫・元妻

真〜	真新しい・真夜中・真正面・真後ろ・真下・真上・真四角・**真向かい**
正〜	正反対・正三角形・正五角形・正社員・**正比例**

逆〜	逆方向・逆輸入・逆コース・逆効果
反〜	反時計回り・**反社会的・反比例**

別〜	別方向・別問題・別行動・別世界
異〜	異分野・異文化・**異民族・異業種**

2. 形容詞の漢字

大〜	大地震・大掃除・大けが・大雨・大人数・大騒ぎ・大違い・大急ぎ・大忙し
大〜	大家族・大問題・大部分・大画面・大成功・大満足・大人気・大流行・大活躍
小〜	小部屋・小箱・小窓・小皿・小石・小鳥・小枝・小太り

<ruby>高<rt>こう</rt></ruby>〜	<ruby>高収入<rt>こうしゅうにゅう</rt></ruby>・<ruby>高学歴<rt>こうがくれき</rt></ruby>・<ruby>高血圧<rt>こうけつあつ</rt></ruby>・<ruby>高<rt>こう</rt></ruby>カロリー・<ruby>高性能<rt>こうせいのう</rt></ruby>・<ruby>高機能<rt>こうきのう</rt></ruby>
<ruby>低<rt>てい</rt></ruby>〜	<ruby>低<rt>てい</rt></ruby>レベル・<ruby>低価格<rt>ていかかく</rt></ruby>・<ruby>低血圧<rt>ていけつあつ</rt></ruby>・<ruby>低<rt>てい</rt></ruby>カロリー

<ruby>長<rt>なが</rt></ruby>〜	<ruby>長持<rt>ながも</rt></ruby>ち・<ruby>長続<rt>ながつづ</rt></ruby>き・<ruby>長電話<rt>ながでんわ</rt></ruby>・<ruby>長旅<rt>ながたび</rt></ruby>・<ruby>長<rt>なが</rt></ruby>そで
<ruby>長<rt>ちょう</rt></ruby>〜	<ruby>長距離<rt>ちょうきょり</rt></ruby>・<ruby>長期間<rt>ちょうきかん</rt></ruby>・<ruby>長時間<rt>ちょうじかん</rt></ruby>
<ruby>短<rt>たん</rt></ruby>〜	<ruby>短距離<rt>たんきょり</rt></ruby>・<ruby>短期間<rt>たんきかん</rt></ruby>・<ruby>短時間<rt>たんじかん</rt></ruby>

<ruby>多<rt>た</rt></ruby>〜	<ruby>多目的<rt>たもくてき</rt></ruby>・<ruby>多趣味<rt>たしゅみ</rt></ruby>・<ruby>多人数<rt>たにんずう</rt></ruby>・<ruby>多方面<rt>たほうめん</rt></ruby>・<ruby>多量<rt>たりょう</rt></ruby>・<ruby>多国籍<rt>たこくせき</rt></ruby>・<ruby>多用途<rt>たようと</rt></ruby>
<ruby>少<rt>しょう</rt></ruby>〜	<ruby>少人数<rt>しょうにんずう</rt></ruby>・<ruby>少量<rt>しょうりょう</rt></ruby>

<ruby>重<rt>じゅう</rt></ruby>〜	<ruby>重労働<rt>じゅうろうどう</rt></ruby>・<ruby>重工業<rt>じゅうこうぎょう</rt></ruby>・<ruby>重金属<rt>じゅうきんぞく</rt></ruby>
<ruby>軽<rt>けい</rt></ruby>〜	<ruby>軽自動車<rt>けいじどうしゃ</rt></ruby>・<ruby>軽音楽<rt>けいおんがく</rt></ruby>・<ruby>軽工業<rt>けいこうぎょう</rt></ruby>・<ruby>軽金属<rt>けいきんぞく</rt></ruby>・<ruby>軽犯罪<rt>けいはんざい</rt></ruby>

<ruby>悪<rt>あく</rt></ruby>〜	<ruby>悪趣味<rt>あくしゅみ</rt></ruby>・<ruby>悪条件<rt>あくじょうけん</rt></ruby>・<ruby>悪影響<rt>あくえいきょう</rt></ruby>・<ruby>悪天候<rt>あくてんこう</rt></ruby>
<ruby>好<rt>こう</rt></ruby>〜	<ruby>好成績<rt>こうせいせき</rt></ruby>・<ruby>好都合<rt>こうつごう</rt></ruby>・<ruby>好青年<rt>こうせいねん</rt></ruby>・<ruby>好条件<rt>こうじょうけん</rt></ruby>・<ruby>好景気<rt>こうけいき</rt></ruby>・<ruby>好印象<rt>こういんしょう</rt></ruby>・<ruby>好対照<rt>こうたいしょう</rt></ruby>

<ruby>新<rt>しん</rt></ruby>〜	<ruby>新発売<rt>しんはつばい</rt></ruby>・<ruby>新技術<rt>しんぎじゅつ</rt></ruby>・<ruby>新政府<rt>しんせいふ</rt></ruby>・<ruby>新記録<rt>しんきろく</rt></ruby>・<ruby>新学期<rt>しんがっき</rt></ruby>・<ruby>新年度<rt>しんねんど</rt></ruby>・<ruby>新商品<rt>しんしょうひん</rt></ruby>・<ruby>新製品<rt>しんせいひん</rt></ruby>・<ruby>新体制<rt>しんたいせい</rt></ruby>
<ruby>旧<rt>きゅう</rt></ruby>〜	<ruby>旧正月<rt>きゅうしょうがつ</rt></ruby>・<ruby>旧体制<rt>きゅうたいせい</rt></ruby>・<ruby>旧市街<rt>きゅうしがい</rt></ruby>・<ruby>旧姓<rt>きゅうせい</rt></ruby>
<ruby>古<rt>ふる</rt></ruby>〜	<ruby>古新聞<rt>ふるしんぶん</rt></ruby>・<ruby>古時計<rt>ふるどけい</rt></ruby>・<ruby>古本<rt>ふるほん</rt></ruby>

<ruby>急<rt>きゅう</rt></ruby>〜	<ruby>急成長<rt>きゅうせいちょう</rt></ruby>・<ruby>急展開<rt>きゅうてんかい</rt></ruby>・<ruby>急上昇<rt>きゅうじょうしょう</rt></ruby>・<ruby>急接近<rt>きゅうせっきん</rt></ruby>・<ruby>急<rt>きゅう</rt></ruby>ブレーキ・<ruby>急<rt>きゅう</rt></ruby>カーブ・<ruby>急<rt>きゅう</rt></ruby>テンポ

3. その<ruby>他<rt>た</rt></ruby>

<ruby>両<rt>りょう</rt></ruby>〜	<ruby>両手<rt>りょうて</rt></ruby>・<ruby>両足<rt>りょうあし</rt></ruby>・<ruby>両目<rt>りょうめ</rt></ruby>・<ruby>両耳<rt>りょうみみ</rt></ruby>・<ruby>両方向<rt>りょうほうこう</rt></ruby>・<ruby>両<rt>りょう</rt></ruby>チーム・<ruby>両<rt>りょう</rt></ruby>ひざ・<ruby>両<rt>りょう</rt></ruby>わき
<ruby>片<rt>かた</rt></ruby>〜	<ruby>片手<rt>かたて</rt></ruby>・<ruby>片足<rt>かたあし</rt></ruby>・<ruby>片目<rt>かため</rt></ruby>・<ruby>片耳<rt>かたみみ</rt></ruby>・<ruby>片<rt>かた</rt></ruby>ひざ
<ruby>初<rt>はつ</rt></ruby>〜	<ruby>初登場<rt>はつとうじょう</rt></ruby>・<ruby>初体験<rt>はつたいけん</rt></ruby>・<ruby>初優勝<rt>はつゆうしょう</rt></ruby>・<ruby>初出場<rt>はつしゅつじょう</rt></ruby>・<ruby>初公開<rt>はつこうかい</rt></ruby>・<ruby>初舞台<rt>はつぶたい</rt></ruby>
<ruby>再<rt>さい</rt></ruby>〜	<ruby>再開発<rt>さいかいはつ</rt></ruby>・<ruby>再就職<rt>さいしゅうしょく</rt></ruby>・<ruby>再利用<rt>さいりよう</rt></ruby>・<ruby>再出発<rt>さいしゅっぱつ</rt></ruby>・<ruby>再放送<rt>さいほうそう</rt></ruby>・<ruby>再確認<rt>さいかくにん</rt></ruby>・<ruby>再発見<rt>さいはっけん</rt></ruby>
<ruby>主<rt>しゅ</rt></ruby>〜	<ruby>主原料<rt>しゅげんりょう</rt></ruby>・<ruby>主成分<rt>しゅせいぶん</rt></ruby>・<ruby>主産地<rt>しゅさんち</rt></ruby>
<ruby>副<rt>ふく</rt></ruby>〜	<ruby>副社長<rt>ふくしゃちょう</rt></ruby>・<ruby>副収入<rt>ふくしゅうにゅう</rt></ruby>・<ruby>副作用<rt>ふくさよう</rt></ruby>・<ruby>副都心<rt>ふくとしん</rt></ruby>
<ruby>同<rt>どう</rt></ruby>〜	<ruby>同年齢<rt>どうねんれい</rt></ruby>・<ruby>同価格<rt>どうかかく</rt></ruby>・<ruby>同程度<rt>どうていど</rt></ruby>・<ruby>同世代<rt>どうせだい</rt></ruby>・<ruby>同業者<rt>どうぎょうしゃ</rt></ruby>
<ruby>最<rt>さい</rt></ruby>〜	<ruby>最重要<rt>さいじゅうよう</rt></ruby>・<ruby>最前列<rt>さいぜんれつ</rt></ruby>・<ruby>最優先<rt>さいゆうせん</rt></ruby>・<ruby>最有力<rt>さいゆうりょく</rt></ruby>
<ruby>超<rt>ちょう</rt></ruby>〜	<ruby>超高級<rt>ちょうこうきゅう</rt></ruby>・<ruby>超満員<rt>ちょうまんいん</rt></ruby>・<ruby>超一流<rt>ちょういちりゅう</rt></ruby>・<ruby>超小型<rt>ちょうこがた</rt></ruby>・<ruby>超大型<rt>ちょうおおがた</rt></ruby>・<ruby>超高層<rt>ちょうこうそう</rt></ruby>ビル・<ruby>超大作<rt>ちょうたいさく</rt></ruby>
<ruby>名<rt>めい</rt></ruby>〜	<ruby>名女優<rt>めいじょゆう</rt></ruby>・<ruby>名選手<rt>めいせんしゅ</rt></ruby>・<ruby>名場面<rt>めいばめん</rt></ruby>・<ruby>名勝負<rt>めいしょうぶ</rt></ruby>・<ruby>名曲<rt>めいきょく</rt></ruby>・<ruby>名演技<rt>めいえんぎ</rt></ruby>・<ruby>名<rt>めい</rt></ruby>セリフ
<ruby>半<rt>はん</rt></ruby>〜	<ruby>半<rt>はん</rt></ruby>ズボン・<ruby>半世紀<rt>はんせいき</rt></ruby>・<ruby>半<rt>はん</rt></ruby>そで・<ruby>半透明<rt>はんとうめい</rt></ruby>・<ruby>半永久的<rt>はんえいきゅうてき</rt></ruby>
<ruby>生<rt>なま</rt></ruby>〜	<ruby>生放送<rt>なまほうそう</rt></ruby>・<ruby>生演奏<rt>なまえんそう</rt></ruby>・<ruby>生出演<rt>なましゅつえん</rt></ruby>

Ⅱ. 基本練習 ≫

1 用法　意味が似ている漢字の使い方に気を付けよう。

◯◯◯の中から適当な漢字を選んで、（　　）に入れなさい。

(1)　| 非 | 未 | 不 | 無 |

① 日本に十年も住んでいると、日本の習慣が（　　　　　）意識のうちに身につく。

② 時間がなかったので、（　　　　　）完成のままレポートを提出してしまった。

③ アルバイトの面接に一時間も遅れていくなんて、（　　　　　）常識ですよ。

④ このドラマの舞台は日本なのに、登場人物がみんな英語で話すなんて（　　　　　）自然だ。

(2)　| 総 | 全 |

① 東京都の（　　　　　）面積は約2,187平方キロメートルだ。

② 彼は火災で（　　　　　）財産を失った。

(3)　| 各 | 諸 |

① 緊急の場合は、（　　　　　）家庭に学校から直接連絡します。

② この本は、日本と（　　　　　）外国との経済的な関係についての本である。

(4)　| 現 | 今 |

① （　　　　　）シーズンは何回スキーに行けるかなあ。

② この研究が成功するかどうか、（　　　　　）段階では予測できない。

(5)　| 前 | 元 |

① 彼女のお母さんは（　　　　　）歌手だそうだが、彼女はそんなに歌がうまくない。

② 今年度は（　　　　　）年度と比べて売り上げが伸びない。

(6)　| 真 | 正 |

① 彼女はその会社に（　　　　　）社員として採用された。

② 山田さんの（　　　　　）後ろに座っている人が田中さんですよ。

(7)　| 逆 | 反 |

① 駅は（　　　　　）方向ですよ。そっちじゃなくて、こっちです。

② この池の周りを（　　　　　）時計回りに三周回ってください。

(8)　| 別 | 異 |

① 友達と一緒に旅行に行ったが、目的が違うので、ほとんど（　　　　　）行動だった。

② 留学は（　　　　　）文化を体験する貴重な機会です。

2 意味 意味が対になる言葉の組み合わせを確認しよう。

対になるよう□□□の中から漢字を選び、（　　）に入れなさい。二回使う漢字もあります。

(1)
長　　好　　短　　片　　半　　悪　　両

① （　　）条件—（　　）条件　　　② （　　）そで—（　　）そで

③ （　　）期間—（　　）期間　　　④ （　　）足—（　　）足

(2)
大　　重　　低　　新　　高　　旧　　軽　　少　　多

① （　・　）人数—（　　）人数　　② （　　）カロリー——（　　）カロリー

③ （　　）体制—（　　）体制　　　④ （　　）工業—（　　）工業

3 意味 意味を確認しよう。

下線の言葉に意味が最も近いものを線で結びなさい。

超高級ホテルに泊まる。　　　　　　　　・　　　　・録画や録音をしていない

ピアノの生演奏を聞きながら食事する。・　　　　・一番・最も

これはジャズの名曲だ。　　　　　　　　・　　　　・優れた・有名な

化粧品の主成分を調べる。　　　　　　　・　　　　・中心となる・主な

環境問題が今後の最重要課題だ。　　　　・　　　　・非常に・とても

4 用法 間違いに気を付けよう。

下線の言葉の使い方が正しい文には○、間違っている文には×を（　）に入れなさい。

また、間違っている場合には、下線の言葉に代わる正しい言葉を 書きなさい。

(例) 小川選手は全国大会で良成績を収めた。　　　　→ （ × ）＿＿＿好＿＿＿

(1) この薬はよく効くが、副作用が心配だ。　　　　　→ （　　）＿＿＿＿＿＿

(2) この店は質の高い商品を安価格で販売している。　→ （　　）＿＿＿＿＿＿

(3) 使わないお皿を旧新聞で包んでしまっておこう。　→ （　　）＿＿＿＿＿＿

(4) この用紙に、氏名と今住所を記入してください。　→ （　　）＿＿＿＿＿＿

(5) A社は軽自動車では日本で一番有名だ。　　　　　→ （　　）＿＿＿＿＿＿

(6) A国はこの十年で経済的に速成長している。　　　→ （　　）＿＿＿＿＿＿

(7) 彼は若いころ少太りだったが、今はスマートだ。　→ （　　）＿＿＿＿＿＿

(8) この高校の生徒の多部分は大学に進学する。　　　→ （　　）＿＿＿＿＿＿

(9) 私の無注意で、息子に大けがをさせてしまった。　→ （　　）＿＿＿＿＿＿

Ⅲ．実践練習 ≫

（　　）に入れるのに最もよいものを、1・2・3・4から一つ選びなさい。(1点×25問)

1　アルバイトの面接で（　　）印象を与えるには、どうしたらいいのだろう。

　　1　良　　　　　　2　好　　　　　　3　重　　　　　　4　大

2　来週は特別番組を二時間（　　）放送でお送りします。

　　1　今　　　　　　2　現　　　　　　3　生　　　　　　4　直

3　今日は暑くなりそうだから、（　　）そでのシャツを着ていこう。

　　1　半　　　　　　2　短　　　　　　3　軽　　　　　　4　無

4　日本語の試験でいい点を取っても、上手に話せるかどうかは（　　）問題だ。

　　1　違　　　　　　2　異　　　　　　3　他　　　　　　4　別

5　（　　）規則な生活をしていると、健康によくないそうだ。

　　1　無　　　　　　2　不　　　　　　3　非　　　　　　4　反

6　彼らは考え方が（　　）反対だから、何かあるたびにぶつかっている。

　　1　大　　　　　　2　総　　　　　　3　本　　　　　　4　正

7　イタリアに住んでいる友人に、ローマの（　　）市街を案内してもらった。

　　1　古　　　　　　2　旧　　　　　　3　前　　　　　　4　去

8　コンクールで優勝した若いピアニストに（　　）世界が注目している。

　　1　全　　　　　　2　皆　　　　　　3　中　　　　　　4　総

9　薬には（　　）作用が強いものもあるので、よく注意しよう。

　　1　本　　　　　　2　逆　　　　　　3　反　　　　　　4　副

10　ケーキは（　　）カロリーだから、ダイエット中は食べないほうがいい。

　　1　大　　　　　　2　重　　　　　　3　高　　　　　　4　強

11　あの子はこの映画で、五歳の子供とは思えない（　　）演技を見せた。

　　1　高　　　　　　2　良　　　　　　3　好　　　　　　4　名

12　まず（　　）手を高く上げて、それからゆっくり下ろしてください。

　　1　全　　　　　　2　両　　　　　　3　総　　　　　　4　諸

13　最近は（　　）価格でも性能のいいカメラが買えるようになった。

　　1　好　　　　　　2　安　　　　　　3　低　　　　　　4　少

14　コンサート会場は、若い女性で（　　）満員だった。

　　1　大　　　　　　2　長　　　　　　3　最　　　　　　4　超

15　この工場で生産された製品の（　　）部分は輸出向けです。

　　1　狭　　　　　　2　少　　　　　　3　大　　　　　　4　多

16　新製品の発売日を、（　　）事情により、変更させていただきます。

　　1　諸　　　　　　2　各　　　　　　3　複　　　　　　4　重

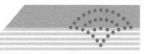

17 彼女の作る曲は、（　　　）世代の女性からの人気が特に高い。

　　1　今　　　　　　2　同　　　　　　3　現　　　　　　4　古

18 この仕事はかなりの（　　　）労働だから、力のない私には無理だ。

　　1　大　　　　　　2　長　　　　　　3　重　　　　　　4　最

19 引き受けた仕事を途中でやめるなんて、（　　　）責任だよ。

　　1　無　　　　　　2　未　　　　　　3　非　　　　　　4　不

20 山田選手は、今回の大会で金メダルの（　　　）有力候補と言われている。

　　1　最　　　　　　2　主　　　　　　3　高　　　　　　4　大

21 海外で生活すると、（　　　）文化の壁にぶつかることも少なくない。

　　1　別　　　　　　2　異　　　　　　3　違　　　　　　4　逆

22 ダイエットのために朝ご飯を食べないのは（　　　）効果だ。

　　1　無　　　　　　2　反　　　　　　3　逆　　　　　　4　低

23 彼は（　　　）野球選手だが、現在は引退して、焼き肉店を経営している。

　　1　旧　　　　　　2　先　　　　　　3　前　　　　　　4　元

24 この旅行会社は中国の（　　　）都市に支店があるので、安心して旅行できる。

　　1　各　　　　　　2　総　　　　　　3　主　　　　　　4　両

25 田中（　　　）市長は次の市長選挙には出ないということだ。
　　　　　　　　　　　　　　し ちょうせんきょ

　　1　当　　　　　　2　近　　　　　　3　現　　　　　　4　今

Ⅰ. 言葉と例文 ≫

1 ウォーミングアップ

職業を表す言葉を挙げてください。後ろにどんな漢字が付いていますか ──

（例）　小説家・警察官

2 言葉

---

1. 仕事に関係のある漢字

～者	研究者・技術者・労働者・**科学者**・編集者
～家	政治家・小説家・芸術家・写真家・作曲家・音楽家・**建築家**・専門家・**評論家**
～士	運転士・**建築士**・**弁護士**・会計士・宇宙飛行士・**消防士**
～員	研究員・公務員・銀行員・会社員・**警備員**
～官	警察官・試験官・**裁判官**・**外交官**
～師	調理師・**手品師**・美容師・**看護師**
～業	自由業・サービス業・観光業・印刷業・広告業・**建設業**・**自営業**・**製造業**

---

2. お金に関係のある漢字

～料	入場料・授業料・使用料・利用料・保険料・**宿泊料**・**手数料**
～代	食事代・部屋代・タクシー代・バイト代・電話代・ガス代・**修理代**・電気代
～費	生活費・交通費・製作費・**宣伝費**・交際費・**光熱費**
～金	入会金・入学金・**寄付金**・**奨学金**・保証金

---

3. 場所に関係のある漢字

～地	観光地・出身地・住宅地・目的地・生産地・勤務地
～場	駐車場・結婚式場・練習場・運動場・スキー場・ゴルフ場・**海水浴場**・競技場
～所	研究所・案内所・事務所・**保育所**・裁判所・保健所・撮影所・洗面所・発電所
～署	警察署・**消防署**・税務署
～街	住宅街・温泉街・ビジネス街・ショッピング街・商店街・オフィス街・**官庁街**

---

4. 機械・道具に関係のある漢字

～機	洗濯機・掃除機・計算機・コピー機・印刷機・自動販売機・ゲーム機
～器	**受話器**・注射器・洗面器・湯沸かし器・消火器・充電器
～具	釣り具・**洗面具**・筆記具
～計	温度計・体重計・体温計・**血圧計**

---

5. 人（ひと）やものの特徴（とくちょう）に関係（かんけい）のある漢字（かんじ）

〜風（ふう） 日本風（にほんふう）・アジア風（ふう）・昔風（むかしふう）・サラリーマン風（ふう）・**中華風（ちゅうかふう）・現代風（げんだいふう）・西洋風（せいようふう）**

〜用（よう） 家庭用（かていよう）・通勤用（つうきんよう）・女性用（じょせいよう）・男性用（だんせいよう）・子供用（こどもよう）・**医療用（いりょうよう）・携帯用（けいたいよう）**

〜式（しき） 移動式（いどうしき）・最新式（さいしんしき）・日本式（にほんしき）・選択式（せんたくしき）・**英国式（えいこくしき）・組み立て式（くみたてしき）**

〜製（せい） ガラス製（せい）・革製（かわせい）・**プラスチック製（せい）・金属製（きんぞくせい）**／アメリカ製（せい）・中国製（ちゅうごくせい）／○○社製（しゃせい）

〜産（さん） 北海道産（ほっかいどうさん）・アメリカ産（さん）

6. 人（ひと）の気持（きも）ち・能力（のうりょく）に関係（かんけい）のある漢字（かんじ）

〜心（しん） 競争心（きょうそうしん）・恐怖心（きょうふしん）・**独立心（どくりつしん）・好奇心（こうきしん）**

〜感（かん） 安心感（あんしんかん）・存在感（そんざいかん）・満足感（まんぞくかん）・不安感（ふあんかん）・責任感（せきにんかん）・**緊張感（きんちょうかん）・危機感（ききかん）**

〜力（りょく） 表現力（ひょうげんりょく）・集中力（しゅうちゅうりょく）・判断力（はんだんりょく）・影響力（えいきょうりょく）・想像力（そうぞうりょく）・**生命力（せいめいりょく）**

7. 方法（ほうほう）・制度（せいど）に関係（かんけい）のある漢字（かんじ）

〜制（せい） 会員制（かいいんせい）・予約制（よやくせい）・少人数制（しょうにんずうせい）・**天皇制（てんのうせい）**

〜法（ほう） 学習法（がくしゅうほう）・使用法（しようほう）・利用法（りようほう）・解決法（かいけつほう）・**予防法（よぼうほう）・活用法（かつようほう）**／労働法（ろうどうほう）・国際法（こくさいほう）・少年法（しょうねんほう）

8. 紙（かみ）に書（か）かれたものに関係（かんけい）のある漢字（かんじ）

〜状（じょう） 招待状（しょうたいじょう）・紹介状（しょうかいじょう）・案内状（あんないじょう）・お礼状（れいじょう）・**年賀状（ねんがじょう）・挑戦状（ちょうせんじょう）**

〜証（しょう） **会員証（かいいんしょう）・学生証（がくせいしょう）・免許証（めんきょしょう）・許可証（きょかしょう）・身分証（みぶんしょう）・登録証（とうろくしょう）**

〜届（とどけ） 離婚届（りこんとどけ）・死亡届（しぼうとどけ）・**被害届（ひがいとどけ）・出生届（しゅっしょうとどけ）・変更届（へんこうとどけ）・退職届（たいしょくとどけ）**

〜帳（ちょう） 日記帳（にっきちょう）・メモ帳（ちょう）・電話帳（でんわちょう）・地図帳（ちずちょう）・スケジュール帳（ちょう）・**アドレス帳（ちょう）・小遣い帳（こづかいちょう）**

〜版（ばん） 日本語版（にほんごばん）・英語版（えいごばん）・最新版（さいしんばん）・カラー版（ばん）・保存版（ほぞんばん）・**限定版（げんていばん）・改訂版（かいていばん）**

9. 比較（ひかく）するときによく使（つか）われる漢字（かんじ）

〜別（べつ） 男女別（だんじょべつ）・種類別（しゅるいべつ）・地域別（ちいきべつ）・年齢別（ねんれいべつ）・職業別（しょくぎょうべつ）・**産業別（さんぎょうべつ）・年代別（ねんだいべつ）**

〜差（さ） 男女差（だんじょさ）・気温差（きおんさ）・身長差（しんちょうさ）・実力差（じつりょくさ）・地域差（ちいきさ）・個人差（こじんさ）・年齢差（ねんれいさ）・能力差（のうりょくさ）

〜量（りょう） 使用量（しようりょう）・**生産量（せいさんりょう）・収穫量（しゅうかくりょう）・降水量（こうすいりょう）**

〜率（りつ） 死亡率（しぼうりつ）・成功率（せいこうりつ）・合格率（ごうかくりつ）・**失業率（しつぎょうりつ）・普及率（ふきゅうりつ）・進学率（しんがくりつ）・競争率（きょうそうりつ）**

〜度（ど） 満足度（まんぞくど）・完成度（かんせいど）・自由度（じゆうど）・理解度（りかいど）・**信用度（しんようど）・優先度（ゆうせんど）**

10. 品詞（ひんし）が変（か）わることが多（おお）い漢字（かんじ）

〜的（てき） 基本的（きほんてき）・一般的（いっぱんてき）・社会的（しゃかいてき）・経済的（けいざいてき）・国際的（こくさいてき）・効果的（こうかてき）・精神的（せいしんてき）・協力的（きょうりょくてき）・**具体的（ぐたいてき）**

〜化（か） 工業化（こうぎょうか）・自由化（じゆうか）・国際化（こくさいか）・映画化（えいがか）・深刻化（しんこくか）・**表面化（ひょうめんか）・実用化（じつようか）・温暖化（おんだんか）・高齢化（こうれいか）**

〜性（せい） 可能性（かのうせい）・重要性（じゅうようせい）・必要性（ひつようせい）・生産性（せいさんせい）・信頼性（しんらいせい）・安定性（あんていせい）・**危険性（きけんせい）・安全性（あんぜんせい）・具体性（ぐたいせい）**

Ⅱ．基本練習 ≫

1 用法　どの漢字を使うか確認しよう。

　　の中から適当な漢字を選んで、（　　）に入れなさい。

(1) | 者　家　士　員　官　師　業 |

① 裁判（　　　　　）になるには、試験に合格しなければならない。

② 親が娘に就かせたい職業のナンバーワンは看護（　　　　　）だそうだ。

③ テレビ局の入り口に、制服を着た怖そうな警備（　　　　　）が立っている。

④ 弁護（　　　　　）になるための試験は、合格するのが非常に難しいと言われている。

⑤ 将来はファッション雑誌の編集（　　　　　）になりたい。

⑥ 村上春樹は日本国外でも人気の高い小説（　　　　　）である。

⑦ うちは自営（　　　　　）なので、なかなか収入が一定しない。

(2) | 料　代　費　金 |

① 皆様から寄せられた寄付（　　　　　）は、自然保護活動に活用させていただきます。

② 最近は携帯電話の基本使用（　　　　　）がどんどん安くなってきた。

③ タクシー（　　　　　）がもったいないから、ちょっと遠いけど歩いていこう。

④ 東京で一人暮らしをすると、一か月の生活（　　　　　）はいくらぐらいかかるの？

(3) | 地　場　所　署　街 |

① 地域の住民の多くは発電（　　　　　）の建設に反対している。

② 駅前はにぎやかな商店（　　　　　）がある。

③ ここは東京オリンピックのためにつくられた競技（　　　　　）だ。

④ 京都は有名な観光（　　　　　）だから、外国人も多い。

⑤ 免許証の住所を変更するので、警察（　　　　　）に行かなければならない。

(4) | 機　器　具　計 |

① 五歳の息子は注射が大きらいで、注射（　　　　　）を見ただけで泣き出す。

② 熱を測ろうと思ったが、体温（　　　　　）が見つからない。

③ 試験時に使用できる筆記（　　　　　）は、鉛筆あるいはシャープペンシル、消しゴムです。

④ コピー（　　　　　）の調子が悪くて、すぐに紙が詰まってしまう。

(5) | 心　感　力 |

① 読書は子供たちの想像（　　　　　）を豊かにする。

② 彼は責任（　　　　　）がないから、重要な仕事は頼めない。

③ 子供は好奇（　　　　　）が強いから、何にでも興味を示す。

(6)

風	用	式	製	産

① この店のハンバーグは、アメリカ（　　　　　）の牛肉で作られている。

② 最近の着物は、色遣いも柄も現代（　　　　　）のものが多くなってきた。

③ 子供がまだ小さいので、プラスチック（　　　　　）の食器を使わせている。

④ 組み立て（　　　　）の本棚を買ってきた。

⑤ テレビ局で使用されるカメラは、家庭（　　　　　）のビデオカメラとはまったく違う。

(7)

制	法

① 歯医者で虫歯の予防（　　　　　）を教えてもらった。

② この料理教室は少人数（　　　　　）で、とても丁寧に教えてもらえる。

(8)

状	証	届	帳	版

① 市の図書館の電話番号なら、電話（　　　　　）で調べればわかるはずだ。

② 映画を見るとき、学生（　　　　　）を見せれば割引してもらえる。

③ メーカーに最新（　　　　）のカタログを送ってもらった。

④ ほかの大学の図書館を利用したいときは、紹介（　　　　　）が必要です。

⑤ 自転車が盗まれてしまったので、警察に被害（　　　　　）を出した。

(9)

別	差	量	率	度

① サラリーマンの収入を年齢（　　　　　）に見てみよう。

② 今年は去年に比べて米の収穫（　　　　　）が少ない。

③ A大学はB大学ほど競争（　　　　）が高くない。

④ アメリカは広い国なので、気候などの地域（　　　　　）が大きい。

⑤ この大学は授業の最後にアンケートを取って、満足（　　　　　）を調査している。

2 用法　　品詞の違いに気を付けよう。

二つの文がほぼ同じ内容になるように、（　）の中に漢字を一つ入れなさい。

（例）　最も効果がある方法を選ぼう。　　　　→最も効果（　的　）な方法を選ぼう。

(1)　たばこは危険であると訴える。　　　　→たばこの危険（　　　　）を訴える。

(2)　若者に人気の漫画が映画になった。　　→若者に人気の漫画が映画（　　　　）された。

(3)　水不足が深刻になっている。　　　　　→水不足が深刻（　　　　）している。

(4)　彼は地域の活動に協力しない。　　　　→彼は地域の活動に協力（　　　　）ではない。

III. 実践練習 ≫

( )に入れるのに最もよいものを、1・2・3・4から一つ選びなさい。(1点×25問)

1 インターネットで目的( )までの距離(きょり)を調べた。

　　1 場　　　　　2 所　　　　　3 地　　　　　4 街(がい)

2 将来、科学( )になりたいので、大学院に進学するつもりだ。

　　1 家　　　　　2 者　　　　　3 士(し)　　　　4 師

3 証明書(しょうめいしょ)を発行してもらうには手数( )がかかる。

　　1 費　　　　　2 代　　　　　3 料　　　　　4 金

4 明日の試験は選択(せんたく)( )だから、0点を取ることはないだろう。

　　1 式　　　　　2 風　　　　　3 製　　　　　4 用

5 スケジュール( )を見て、明日の予定を確認する。

　　1 状　　　　　2 帳　　　　　3 届　　　　　4 証

6 彼は大変有名な作家なので、彼の発言は影響(えいきょう)( )がある。

　　1 力　　　　　2 心　　　　　3 感　　　　　4 性

7 今回の絵画コンクールは、完成( )の高い作品ばかりだった。

　　1 差　　　　　2 率　　　　　3 度　　　　　4 量

8 現代社会におけるインターネットの重要( )を考える。

　　1 力　　　　　2 的　　　　　3 率　　　　　4 性

9 ここは会員( )のホテルで、会員しか利用できない。

　　1 制　　　　　2 風　　　　　3 法　　　　　4 式

10 少し太った気がするので、体重( )に乗ってみた。

　　1 機　　　　　2 器　　　　　3 具　　　　　4 計

11 彼は世界的に有名な写真( )だ。

　　1 者　　　　　2 士　　　　　3 家　　　　　4 官

12 あの動物園の入場( )はけっこう高い。

　　1 費　　　　　2 料　　　　　3 代　　　　　4 金

13 夏になると、海水浴( )はどこも人でいっぱいだ。

　　1 街　　　　　2 所　　　　　3 地　　　　　4 場

14 就職(しゅうしょく)が決まったので、通勤( )のバッグを買った。

　　1 制　　　　　2 用　　　　　3 式　　　　　4 製

15 夫が子育てに協力( )なので、とても助かっている。

　　1 者　　　　　2 化　　　　　3 性　　　　　4 的

16 この雑誌はフランスの有名な雑誌の日本語( )だ。

　　1 製　　　　　2 用　　　　　3 版　　　　　4 状

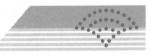

/ **25点**

17 男女（　　　）の死亡率をグラフに表す。

　　1　分　　　　　　2　対　　　　　　3　別　　　　　　4　異

18 スポーツクラブの会員（　　　）をなくしたので、再発行してもらった。

　　1　届　　　　　　2　版　　　　　　3　状　　　　　　4　証^{しょう}

19 個人（　　　）があるものの、この方法で約80％の人が効果を実感している。

　　1　差　　　　　　2　別　　　　　　3　違　　　　　　4　的

20 その工場の設備はすべて最新（　　　）のものだった。

　　1　産　　　　　　2　製　　　　　　3　用　　　　　　4　式

21 パーティーの案内（　　　）が届いたが、忙しくて出席できそうもない。

　　1　届　　　　　　2　状　　　　　　3　証　　　　　　4　帳

22 A社は、家庭用ロボットの実用（　　　）に向けて研究を進めている。

　　1　性　　　　　　2　化　　　　　　3　的　　　　　　4　法

23 当店は完全予約（　　　）となっています。

　　1　性　　　　　　2　法　　　　　　3　制　　　　　　4　的

24 大学院に進学することになったので、今日、部長に退職（　　　）を出した。

　　1　届　　　　　　2　状　　　　　　3　証　　　　　　4　書

25 パソコンの普及^{ふきゅう}（　　　）は、2009年には七割を超えた。

　　1　差　　　　　　2　度　　　　　　3　量　　　　　　4　率

Ⅰ. 言葉と例文 ≫

1 ウォーミングアップ

(1) 「温かい」「痛い」を動詞にしてください。どうやって作りますか。

(2) ほかにどんな形容詞から動詞が作れますか。

2 言葉

---

1. 感情・感覚を表す動詞　〜しむ／〜む

悲しむ	君のこの成績を見たら、ご両親もきっと悲しむだろう。
苦しむ	世界には食べる物がなくて苦しんでいる人が大勢いる。
親しむ	子供たちが読書に親しむ機会を積極的に作っていきたい。
怪しむ	友達の宿題を写すときは、先生に怪しまれないように、わざと少し間違える。
惜しむ	成功するためには努力を惜しまないつもりだ。[手間、金、協力を〜]
	今月末で閉校する川中中学校では、最後の卒業生九人が別れを惜しんだ。
痛む	冬になると、昔の傷がときどき痛む。
	学校でいじめられ、彼はどんなにつらかっただろうと思うと胸が痛む。[心が〜]
憎む	彼女は自分を捨てた母親をとても憎んでいる。
うらやむ	大学に落ちた私は、合格して進学する友達をうらやんでいた。
悔やむ	不注意で事故を起こしてしまったことを、彼は今でも悔やんでいる。
涼む	暑いから、ちょっと図書館に涼みに行こうか。

2. 変化を表す動詞　〜が〜まる（自動詞）／〜を〜める（他動詞）

温まる／温める	お風呂に入って体を温める。[卵、心、料理]
暖まる／暖める	部屋が広いので暖まるのに時間がかかる。[部屋、空気]
早まる／早める	出発時間を少し早めましょう。[時期、予定、回復]
速まる／速める	雨が降り出す前に家に帰ろうと、彼は足を速めた。[スピード、速度、テンポ]
強まる／強める	父の話を聞いて、留学したいという思いが強まった。[疑い、関係、批判]
弱まる／弱める	雨が弱まってきたからそろそろ帰ろう。[効果、働き、勢い、力]
薄まる／薄める	氷が溶けてお酒が薄まってしまった。[スープ、洗剤、色]
固まる／固める	砂糖が固まってしまって、使えない。[ゼリー、方針、気持ち]
丸まる／丸める	手紙を丸めてごみ箱に捨てた。[背中、体、ポスター]
静まる／静める	警察が来て、やっと騒ぎが静まった。[会場、心、気持ち、怒り]
深まる／深める	A国との関係は今後更に深まるだろう。[理解、知識、議論、交流]
高まる／高める	A選手の活躍に期待が高まる。[関心、声、必要性、集中力]
広まる／広める	日本文化を世界に広めたい。[うわさ、評判、宗教、技術、理解]

| 広がる
<small>ひろ</small> | 目の前にすばらしい風景が広がっている。[世界、差、範囲、青空、景色] |
| 広げる
<small>ひろ</small> | 電車の中では新聞を広げないでほしい。[世界、差、範囲、両手、地図、弁当] |

3. いろいろな形容詞から作れる名詞　〜さ

寂しさ <small>さび</small>	彼のいない寂しさを忘れるため、毎晩のようにお酒を飲んだ。
ありがたさ	平和のありがたさや戦争の恐ろしさを、子供たちに伝えていきたい。
正確さ <small>せいかく</small>	スーパーのレジの仕事は、スピードだけでなく、正確さも求められる。

4. 限られた形容詞だけから作れる名詞　〜み

楽しみ <small>たの</small>	毎晩家でお酒を飲むことだけが私の楽しみだ。
悲しみ <small>かな</small>	人生には喜びも悲しみもある。
苦しみ <small>くる</small>	息子を失ったこの苦しみは、誰にもわかってもらえないだろう。
面白み <small>おもしろ</small>	彼はいい人だが、真面目すぎて面白みがない。
親しみ <small>した</small>	彼女は大女優だが、彼女の優しい話し方に親しみを感じるファンも多い。
温かみ <small>あたた</small>	このホテルのサービスには家庭的な温かみが感じられる。

| 痛み
<small>いた</small> | 最近、年のせいか、歩くときにひざに痛みを感じるようになった。 |
| かゆみ | 昨日から背中がかゆかったのだが、薬を付けたらかゆみが治まった。 |

うまみ	この料理は長時間煮込むことによってうまみが増す。
甘み <small>あま</small>	玉ネギは熱すると甘みが出る。
辛み <small>から</small>	このソースは唐辛子の辛みが効いていておいしい。
苦み <small>にが</small>	このコーヒーは苦みが強すぎて私には合わない。

| 厚み
<small>あつ</small> | パソコンで名刺を作るので、厚みのある紙を買わないと。 |
| 丸み
<small>まる</small> | この靴は、丸みがあって形がかわいいし、履きやすい。 |

重み <small>おも</small>	やはり実際に経験した人の言葉は重みがある。
深み <small>ふか</small>	高級なワインは味に深みがある。
強み <small>つよ</small>	技術力が日本の最大の強みなので、今後も力を入れていかなければならない。
弱み <small>よわ</small>	私は人に弱みを見せたくないから、悩みがあっても誰にも相談しない。

Ⅱ. 基本練習 ≫

1 用法　動詞を作ろう。

形容詞を一語の動詞に変えて、（　）に入れなさい。

（例）　楽しい：　父は退職と同時に九州に引っ越し、今は田舎暮らしを（ 楽しんで ）いる。

(1)　怪しい：　彼女は、彼がうそをついているのではないかと、以前から（　　　　　　）いた。

(2)　早い：　新聞によると、今年はいつもの年より桜の時期が（　　　　　　）そうだ。

(3)　惜しい：　入社以来二十年、会社のために努力を（　　　　　）ず働いてきた。

(4)　静か：　いらいらしたときは、気持ちを（　　　　　　）ために、目を閉じて深く息を吸う。

(5)　広い：　目の前に（　　　　　）美しい景色を眺めながらお弁当を食べた。

(6)　丸い：　こんな寒い日は、布団の中で（　　　　　　）いたい。

(7)　悔しい：　学生時代にきちんと勉強しなかったことを、今さら（　　　　　　）も遅い。

(8)　弱い：　薬は、飲み方を間違えると、効果が（　　　　　）こともある。

(9)　固い：　新社長就任から二か月、基本的な経営方針は既に（　　　　　）いる。

(10)　涼しい：　あの木の下に座って、少し（　　　　　）ませんか。

(11)　暖かい：　この部屋は広すぎて、暖房をつけてもなかなか（　　　　　　）。

(12)　憎い：　被害者の両親は、事件の犯人を殺したいほど（　　　　　）いるだろう。

(13)　速い：　これからデートだと思うと、自然と足が（　　　　　）

(14)　強い：　今回の問題への政府の対応の遅さに、国民の批判が（　　　　　）いる。

(15)　薄い：　スープの味が濃すぎたら、お湯を足して（　　　　　）ください。

(16)　親しい：　父親が音楽家だったため、彼女は幼いころから音楽に（　　　　　　）きた。

(17)　深い：　何度も繰り返して読むと、少しずつ理解が（　　　　　）。

(18)　高い：　勉強中は、集中力を（　　　　　）ために、モーツァルトの曲をかけている。

(19)　温かい：　この映画の家族の楽しそうなやり取りを見ていると、心が（　　　　　　）。

(20)　広い：　日本では1549年以降キリスト教が急速に（　　　　　　）と言われている。

(21)　苦しい：　病気で（　　　　　）いる人々を救うために、医学を学ぼうと決意した。

(22)　うらやましい：彼は努力もしないで他人を（　　　　　）ばかりいる。

(23)　痛い：　昨日の晩は、歯が（　　　　　）眠れなかった。

(24)　悲しい：　もし私が死んでも、（　　　　　）くれる人など誰もいない。

2 用法　名詞を作ろう。

形容詞を一語の名詞に変えて、（　　）に入れなさい。

形容詞	～さ	～み	形容詞	～さ	～み
楽しい	楽しさ	楽しみ	うまい	うまさ	うまみ
悲しい	（　　）	悲しみ	甘い	甘さ	（　　）
苦しい	苦しさ	（　　）	辛い	（　　）	辛み
面白い	（　　）	面白み	苦い	苦さ	（　　）
親しい	親しさ	（　　）	おいしい	おいしさ	──
温かい	（　　）	温かみ	厚い	厚さ	（　　）
ありがたい	ありがたさ	（　　）	丸い	（　　）	丸み
寂(さび)しい	寂(さび)しさ	──	重い	重さ	（　　）
うれしい	（　　）	──	深い	（　　）	深み
痛い	（　　）	痛み	強い	強さ	（　　）
かゆい	かゆさ	（　　）	弱い	（　　）	弱み
苦しい	（　　）	苦しみ	いい	よさ	──
つらい	（　　）	──	大切	（　　）	──

3 意味　意味の違いに気を付けよう。

（　）の中の語で、より適当なほうを選びなさい。

㋹　来月の旅行がとても（　楽しさ　楽しみ　）だ。→　楽しみ

⑴　このプリンターは、はがきのような（　厚さ　厚み　）のある紙でも印刷できる。

⑵　私がダイエットに失敗する一番の原因は、意志の（　弱さ　弱み　）だと思う。

⑶　私は赤やオレンジのような（　温かさ　温かみ　）のある色が好きだ。

⑷　この製品は、積もった雪の（　深み　深さ　）を測るために使われます。

⑸　あの店の店員は、いつも笑顔で話しかけてくるので、（　親しみ　親しさ　）が持てる。

⑹　受験に失敗して初めて自分の考えの（　甘さ　甘み　）に気付かされた。

⑺　日本語は、相手との関係や（　親しみ　親しさ　）によって言葉遣(ことばづか)いが変わる。

⑻　この調味料を料理に少し加えるだけで、味に（　深み　深さ　）が増す。

⑼　妻に（　弱さ　弱み　）を握(にぎ)られているので、何を言われても逆らえない。

Ⅲ. 実践練習 ≫

1. （　　）に入れるのに最もよいものを、1・2・3・4から一つ選びなさい。(1点×5問)

1 パソコンのメールより手紙のほうが（　　　）を感じる。
　　1　温かさ　　　　　2　温かみ　　　　　3　温かいの　　　　4　温まるの

2 病気になってみないと健康の（　　　）がわからないものだ。
　　1　ありがたさ　　　2　うまみ　　　　　3　弱み　　　　　　4　大切

3 今後も地域の人々との交流を更に（　　　）いきたい。
　　1　高まって　　　　2　親しんで　　　　3　深めて　　　　　4　丸めて

4 日本人と習慣なども似ているため、韓国に（　　　）を感じる人も多い。
　　1　厚み　　　　　　2　甘み　　　　　　3　親しみ　　　　　4　楽しみ

5 子供のころ、ひどいことを言って友達を泣かせてしまった。そのことを思い出すと、今でも心が（　　　）。
　　1　痛む　　　　　　2　痛める　　　　　3　苦しむ　　　　　4　苦しめる

2. ＿＿の言葉に意味が最も近いものを、1・2・3・4から一つ選びなさい。(2点×5問)

1 この本を読んで、留学への気持ちがかたまった。
　　1　かわった　　　2　わからなくなった　3　なくなった　　4　つよくなった

2 最近は電気製品も丸みのあるものが人気だ。
　　1　角がない　　　2　サイズが小さい　　3　円形の　　　　4　丸いものがついた

3 昨日たくさん買い物したことを、今日になってくやんでいる。
　　1　驚いて　　　　2　後悔して　　　　　3　忘れて　　　　4　思い出して

4 外の空気を吸って気持ちを静めよう。
　　1　考えよう　　　2　決めよう　　　　　3　落ち込もう　　4　落ち着こう

5 妻は夫の帰りが毎晩遅いことをあやしんでいた。
　　1　喜んで　　　　2　怒って　　　　　　3　変だと思って　4　悲しいと思って

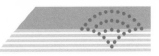

3. 次の言葉の使い方として最もよいものを、1・2・3・4から一つ選びなさい。(2点×5問)

1 弱み

1 彼は体に弱みがあるので、よく入院している。

2 敵のチームの弱みがわかれば、勝てるかもしれない。

3 この紙は弱みだから、すぐ破れてしまう。

4 夏は野菜の弱みが早いので、すぐ冷蔵庫に入れよう。

2 広める

1 食事のときは、新聞を机に広めないでください。

2 ビルの屋上から広める風景はすばらしかった。

3 両手を広めて体を伸ばす。

4 変なうわさを広められて困っている。

3 重み

1 飛行機の中に持ち込める荷物は、重みに制限がある。

2 日本では重みの単位はグラムである。

3 自分で働いて得た一万円は重みが違う。

4 荷物の重みを量ったら、30キロを超えていた。

4 涼む

1 クーラーをつけているのに、部屋がなかなか涼まない。

2 このジュースはよく涼んでいておいしいね。

3 外は暑いから、コンビニに入って少し涼もう。

4 今日は風があってとても涼む日だ。

5 惜しむ

1 あと一点で合格できたのにと、涙を流して惜しんでいる。

2 手間を惜しまずに時間をかけて作った料理はやはりおいしい。

3 お金を惜しまず、がんばって貯金している。

4 昔の思い出をいつまでも惜しまないほうがいいよ。

模擬試験

1. （　　）に入れるのに最もよいものを、1・2・3・4から一つ選びなさい。(2点×5問)

1 一日、三時間働くだけで、（　　）収入が得られます。

　　1 上　　　　　　2 高　　　　　　3 大　　　　　　4 良

2 大学受験に失敗して、彼はとても落ち（　　）いた。

　　1 合って　　　　2 行って　　　　3 込んで　　　　4 着いて

3 （　　）世紀に入って環境問題は一段と悪化した。

　　1 現　　　　　　2 今　　　　　　3 本　　　　　　4 同

4 家賃を払わなかったので、アパートを（　　）出されてしまい、住むところがない。

　　1 追い　　　　　2 押し　　　　　3 連れ　　　　　4 持ち

5 この服は近所の商店（　　）で、買ったものだ。

　　1 市　　　　　　2 域　　　　　　3 街_{がい}　　　　　4 町

2. （　　）に入れるのに最もよいものを、1・2・3・4から一つ選びなさい。(2点×5問)

1 駅の前で化粧品の（　　）を配っていた。

　　1 サンプル　　　　2 シンプル　　　　3 コスト　　　　4 コマーシャル

2 日曜日は、（　　）と読書をして過ごした。

　　1 さっさ　　　　　2 ぐっすり　　　　3 のろのろ　　　　4 のんびり

3 彼はいい人そうに見えたが、周囲の（　　）はあまりよくなかった。

　　1 価値　　　　　　2 批評　　　　　　3 評論　　　　　　4 評判

4 今の会社では、能力を（　　）する機会がない。

　　1 発揮　　　　　　2 発行　　　　　　3 発生　　　　　　4 発表

5 京都に行ったが、一日に五か所もお寺に行ったので、少し（　　）。

　　1 あやしかった　　2 あわただしかった　　3 いらだたしかった　　4 うたがわしかった

3. ＿＿の言葉に意味が最も近いものを、1・2・3・4から一つ選びなさい。(3点×5問)

1 病院に行く時間がなかったので、とりあえず薬を飲んでおいた。

　　1 一応　　　　　　2 さっき　　　　　3 すぐに　　　　　4 既_{すで}に

2 三年の月日をついやして、この映画は作られた。

　　1 与えて　　　　　2 取って　　　　　3 付けて　　　　　4 使って

3 あの先生は、授業中の雑談が多い。

　　1 あいさつ　　　　2 おしゃべり　　　　3 説明　　　　　　4 注意

4 彼が百年に一度の天才だなんて、大げさだ。

　　1 オーバー　　　　2 ショック　　　　　3 ジョーク　　　　　4 ユーモア

⑤ パソコンの知識がとぼしいので、よく友達に聞いている。

　　1　知りたい　　　　　2　十分ではない　　　3　まったくない　　　4　よくわからない

4. 次の言葉の使い方として最もよいものを、1・2・3・4から一つ選びなさい。（3点×5問）

① 取材

　　1　何の取材も受けていないのに、私の記事が新聞に載っていた。

　　2　晩ご飯を作るために、野菜や肉をスーパーに取材しに行った。

　　3　車を修理するために、必要な取材の注文をした。

　　4　切手を取材するのが、彼の子供のころからの趣味だ。

② 外見

　　1　外見をしていて、交通事故に遭ってしまった。

　　2　自分の外見にはまったく自信がない。

　　3　駅で転んだとき、周りの人の外見が恥ずかしかった。

　　4　外見したところ、作文に特に間違いはないようだった。

③ ながめ

　　1　左は大丈夫だったが、右のながめがよく見えなかった。

　　2　その部屋はながめがなかったので、電気を消すと、とても暗かった。

　　3　この窓から見える富士山のながめは最高です。

　　4　眼鏡のながめが合わないので、眼鏡屋さんで直してもらった。

④ 貢献

　　1　この薬は、のどの痛みに貢献がある。

　　2　部長のお見舞いに行って、花を貢献してきた。

　　3　ある企業の社長が不正に政治家に貢献していた。

　　4　明日の試合では、絶対に点を取って、優勝に貢献したい。

⑤ 詳細

　　1　母は詳細なことで私を注意するから、すぐけんかになる。

　　2　その機械には、詳細な部品が大量に使われていた。

　　3　野菜を詳細に切らないと、この料理はおいしくできません。

　　4　詳細な地図がないと、とてもその山は登れないだろう。

1. （　　　）に入れるのに最もよいものを、1・2・3・4から一つ選びなさい。(2点×5問)

1 田中さんは行動（　　　）のあるリーダーだ。

　　1　術　　　　　　　2　心　　　　　　　3　感　　　　　　　4　力

2 テレビは中古（　　　）を安く手に入れた。

　　1　性　　　　　　　2　品　　　　　　　3　物　　　　　　　4　用

3 留守にしていたので、宅配便を受け（　　　）ことができなかった。

　　1　入れる　　　　　2　止める　　　　　3　取る　　　　　　4　着ける

4 部長というと偉い感じがするが、（　　　）部長は偉いのか、そうでないのか。

　　1　次　　　　　　　2　準　　　　　　　3　副　　　　　　　4　助

5 エアコンの（　　　）付けに、今日、工事の人が来る。

　　1　取り　　　　　　2　飾り　　　　　　3　押し　　　　　　4　張り

2. （　　　）に入れるのに最もよいものを、1・2・3・4から一つ選びなさい。(2点×5問)

1 みんなが必死になって試験のための勉強をしているのに、彼は（　　　）で勉強している。

　　1　マイカー　　　　2　マイクロ　　　　3　マイナー　　　　4　マイペース

2 駅に着くのが遅かったので、座れないかと思ったが、（　　　）座れた。

　　1　さっぱり　　　　2　うっかり　　　　3　じっくり　　　　4　すんなり

3 せっかくのチャンスを（　　　）しまってはいけない。

　　1　くずして　　　　2　けずって　　　　3　しぼって　　　　4　つぶして

4 会議を開くために、スケジュールの（　　　）を行った。

　　1　調査　　　　　　2　調整　　　　　　3　調節　　　　　　4　調理

5 父の病気について聞いても、母は（　　　）な返事を繰り返すだけだった。

　　1　あいまい　　　　2　地味　　　　　　3　適切　　　　　　4　適度

3. ＿＿＿の言葉に意味が最も近いものを、1・2・3・4から一つ選びなさい。(3点×5問)

1 その本を買いたいと思って、本屋に行ったのだが、あいにく売り切れだった。

　　1　思った通り　　　2　残念なことに　　3　反対に　　　　　4　やっぱり

2 十万円くれるなら、この絵をゆずってあげてもいいですよ。

　　1　預けて　　　　　2　貸して　　　　　3　売って　　　　　4　渡して

3 その裁判が契機となって、法律の見直しが行われた。

　　1　機会　　　　　　2　きっかけ　　　　3　チャンス　　　　4　ステップ

4 心臓の手術の際には、わずかなミスも許されない。

　　1　少しの　　　　　2　少量の　　　　　3　少々の　　　　　4　多少の

5 三歳にしては、かしこい子供で、周りの大人はみんな感心していた。

1　足が速い　　　2　頭がいい　　　3　真面目な　　　4　努力する

4. 次の言葉の使い方として最もよいものを、1・2・3・4から一つ選びなさい。(3点×5問)

1 続出

1　学校の建物から次々に子供たちが続出してきた。

2　とても激しい試合で、試合中にけが人が続出した。

3　その日の乾燥していた空気が火災を続出した。

4　国民の不満が非常に高まり、政府に続出された。

2 機嫌

1　あまり機嫌しないで、うちで食事でもしていったら。

2　自分の機嫌を隠さず、外に出したほうがいい？

3　熱のせいか、顔の機嫌がよくなかった。

4　妻の機嫌を取るために、花を買ってきた。

3 手間

1　手間を惜しんでいては、おいしいお米は作れません。

2　手間が空いたら、こちらの仕事を手伝ってくれない。

3　手間がいいから、あの人の作る料理はなんでもおいしい。

4　この財布は、よくできていて、どんな手間で作ったのかわからない。

4 作成

1　彼の作成したアイデアはとても個性的だ。

2　このソフトを使えば資料の作成が簡単になる。

3　自分の気持ちを正直に話さなければ、友人は作成できない。

4　トマトの作成には、水の管理が大切です。

5 深刻

1　村に行くには、深刻な山道を何時間も歩かなければならなかった。

2　一家五人が殺されるという深刻な事件が起こった。

3　その地方は、地震によって深刻な被害を受けた。

4　山と山との間の深刻な場所に川が流れていた。

著者

伊能裕晃　　東京学芸大学留学生センター特任准教授

本田ゆかり　東京外国語大学大学院総合国際学研究院特別研究員、博士（学術）

来栖里美　　早稲田EDU日本語学校横浜校専任講師

前坊香菜子　NPO法人日本語教育研究所研究員、聖学院大学非常勤講師、政策研究大学院大学非
　　　　　　常勤講師、高崎経済大学非常勤講師

阿保きみ枝　いいだばし日本語学院、東京外語専門学校非常勤講師、一橋大学大学院言語社会研究
　　　　　　科博士後期課程

宮田公治　　日本大学工学部准教授

問題作成者（第1部の一部と第2部の一部）

宮澤太聡

田中啓行

岩佐和美

装丁・本文デザイン

糟谷一穂

新完全マスター語彙　日本語能力試験N2

2011年 9 月 2 日　初版第1刷発行
2019年10月11日　第 11 刷 発 行

著　者　　伊能裕晃　本田ゆかり　来栖里美　前坊香菜子
　　　　　阿保きみ枝　宮田公治

発行者　　藤嵜政子

発　行　　株式会社　スリーエーネットワーク
　　　　　〒102-0083　東京都千代田区麹町3丁目4番
　　　　　　　　　　　トラスティ麹町ビル2F
　　　　　電話　営業　03 (5275) 2722
　　　　　　　　編集　03 (5275) 2725
　　　　　https://www.3anet.co.jp/

印　刷　　株式会社シナノ

ISBN978-4-88319-574-9　C0081

■ 新完全マスターシリーズ

● 新完全マスター漢字

日本語能力試験N1
1,200円+税 （ISBN978-4-88319-546-6）

日本語能力試験N2 （CD付）
1,400円+税 （ISBN978-4-88319-547-3）

日本語能力試験N3
1,200円+税 （ISBN978-4-88319-688-3）

日本語能力試験N3 ベトナム語版
1,200円+税 （ISBN978-4-88319-711-8）

日本語能力試験N4
1,200円+税 〔ISBN978-4-88319-780-4〕

● 新完全マスター語彙

日本語能力試験N1
1,200円+税 （ISBN978-4-88319-573-2）

日本語能力試験N2
1,200円+税 （ISBN978-4-88319-574-9）

日本語能力試験N3
1,200円+税 （ISBN978-4-88319-743-9）

日本語能力試験N3 ベトナム語版
1,200円+税 （ISBN978-4-88319-765-1）

● 新完全マスター読解

日本語能力試験N1
1,400円+税 （ISBN978-4-88319-571-8）

日本語能力試験N2
1,400円+税 （ISBN978-4-88319-572-5）

日本語能力試験N3
1,400円+税 （ISBN978-4-88319-671-5）

日本語能力試験N3 ベトナム語版
1,400円+税 （ISBN978-4-88319-722-4）

日本語能力試験N4
1,200円+税 （ISBN978-4-88319-764-4）

● 新完全マスター単語

日本語能力試験N2 重要2200語
1,600円+税 （ISBN978-4-88319-762-0）

日本語能力試験N3 重要1800語
1,600円+税 （ISBN978-4-88319-735-4）

● 新完全マスター文法

日本語能力試験N1
1,200円+税 （ISBN978-4-88319-564-0）

日本語能力試験N2
1,200円+税 （ISBN978-4-88319-565-7）

日本語能力試験N3
1,200円+税 （ISBN978-4-88319-610-4）

日本語能力試験N3 ベトナム語版
1,200円+税 （ISBN978-4-88319-717-0）

日本語能力試験N4
1,200円+税 （ISBN978-4-88319-694-4）

日本語能力試験N4 ベトナム語版
1,200円+税 （ISBN978-4-88319-725-5）

● 新完全マスター聴解

日本語能力試験N1 （CD付）
1,600円+税 （ISBN978-4-88319-566-4）

日本語能力試験N2 （CD付）
1,600円+税 （ISBN978-4-88319-567-1）

日本語能力試験N3 （CD付）
1,500円+税 （ISBN978-4-88319-609-8）

日本語能力試験N3 ベトナム語版 （CD付）
1,500円+税 （ISBN978-4-88319-710-1）

日本語能力試験N4 （CD付）
1,500円+税 （ISBN978-4-88319-763-7）

■ 読解攻略！
日本語能力試験
N1レベル
1,400円+税
（ISBN978-4-88319-706-4）

CD付
各冊900円+税

■ 日本語能力試験模擬テスト

● 日本語能力試験N1
模擬テスト

〈1〉（ISBN978-4-88319-556-5）
〈2〉（ISBN978-4-88319-575-6）
〈3〉（ISBN978-4-88319-631-9）
〈4〉（ISBN978-4-88319-652-4）

● 日本語能力試験N2
模擬テスト

〈1〉（ISBN978-4-88319-557-2）
〈2〉（ISBN978-4-88319-576-3）
〈3〉（ISBN978-4-88319-632-6）
〈4〉（ISBN978-4-88319-653-1）

スリーエーネットワーク　　　ウェブサイトで新刊や日本語セミナーをご案内しております。
https://www.3anet.co.jp/